ESCUELA de PADRES
de adolescentes
Educar con talento

Si desea recibir información gratuita
sobre nuestras publicaciones, puede
suscribirse en nuestra página web:

www.amateditorial.com

también, si lo prefiere, vía email:

info@amateditorial.com

Síganos en:

@amateditorial

Editorial Amat

Óscar González

ESCUELA de PADRES
de adolescentes
Educar con talento

© Óscar González, 2016
© del Prólogo: Sònia Cervantes, 2016
© Profit Editorial I., S.L. 2016
Amat Editorial es un sello editorial de Profit Editorial I., S.L.
Travessera de Gràcia, 18; 6º 2ª; Barcelona-08021

Diseño de cubierta: XicArt
Maquetación: JesMart
ISBN: 978-84-9735-856-9
Depósito legal: B-12.905-2016
Primera edición: septiembre, 2016

Impresión: Liberdúplex

Impreso en España / *Printed in Spain*

A mi mujer, Beatriz, imprescindible e inmejorable madre
y a nuestros hijos, Mateo y Elsa, por ayudarnos a crecer cada día.
A ti lector, por dedicar tu tiempo a disfrutar
educando con mucho sentido común.

Nuestros hijos adolescentes son un espejo donde vemos
reflejadas nuestras luces y sombras.

TOLSTÓI

Se han apropiado de cada uno de nuestros gestos,
tienen nuestros mismos ojos, la misma tendencia a
inventar historias
acaso una risa parecida, sufren igual que uno la injusticia.

Habitan en un mundo de casas reducidas,
dilatados castillos y altas torres,
rodeados de fantasmas con nombres misteriosos.
Hablan un secreto idioma de títeres y pájaros,
generalmente nos ignoran.

Nuestra venganza consiste en dirigir sus vidas
y obligarlos a copiar secretas frustraciones,
pero cada noche, libremente, nos matan en los sueños.

También se enferman, y además nos precisan.
Nos enlazan con pequeñas palabras
y ejercen la magia tenazmente.

Sin embargo, nada podrá impedir
que el dolor se ensañe con sus cuerpos,
que cometan errores
y que crezcan.

HORACIO SALAS

NOTA EXPLICATIVA DEL AUTOR

Comprobarás que, a lo largo de este libro, no hablo de «niños y niñas» ni de «hijos e hijas», sino de «niños» e «hijos» de manera genérica. Utilizaré la forma masculina por defecto, alternándola de manera ocasional con usos específicos de género o número distintos. También hago uso del universal «padres» para referirme a «madres» y «padres». Quiero aclarar que no se trata de un uso sexista del lenguaje, sino de una manera de facilitar al máximo la lectura, simplificando los diálogos y las explicaciones que contiene el libro. Si se plantease una distinción por sexo en algún tipo de comportamiento quedará convenientemente explicado y reseñado. Muchas gracias de antemano por tu comprensión.

Índice

Prólogo

Afortunadamente son muchas las cosas y las personas que, hoy en día, me provocan una sonrisa. Os hablaré de dos. En primer lugar, de Óscar González y, en segundo lugar, de mis adorados adolescentes. Óscar es de esas personas que en cuanto las conoces detectas eso que llaman sinergia o conexión entre dos absolutos desconocidos; lo sentí en cuanto tuve la ocasión de hablar con él por primera vez. Desde el inicio me di cuenta de que tenía ante mí una rara especie en peligro de extinción, y siempre he tenido debilidad por preservar y cuidar lo que está en peligro. Lo digo en el mejor de los sentidos, pues desgraciadamente y a pesar de que se habla mucho se hace muy poco *por, para* y *en* la Educación. La Educación en mayúsculas, como siempre la he entendido yo y como percibí desde el primer instante que Óscar también hacía.

Desde entonces hemos seguido en contacto compartiendo siempre la pasión por la educación, entendiéndola como casi único remedio para la mayoría de los males de la actualidad. Educar es un acto de responsabilidad y amor, bajo mi punto de vista. De responsabilidad porque escribir sobre una pizarra en blanco puede tener sus consecuencias si la escritura no es la adecuada. Soy de la opinión, como afirmaba Noam Chomsky, de que «*El propósito de la educación debería ser mostrar a la gente cómo aprender por sí misma*». Todo lo demás no es más que adoctrinar o dirigir. Educar es un acto de amor porque no se me ocurre mejor manera de querer a alguien que darle las herramientas necesarias para que las pueda utilizar libre y autónomamente en los instantes más difíciles de su vida. Amar implica educar en la resiliencia, en hacer frente al sufrimiento, no en evitarlo a toda costa; eso es sobreproteger. Si amas, educas; si no amas, descuidas e ignoras. No hay acto más irresponsable y de mayor falta de amor que descuidar la educación de los hijos, exponiéndoles a riesgos innecesarios y a que no sepan cómo salir de situaciones adversas. Las decisiones en sus vidas deben tomarlas ellos, no deberíamos decirles qué, cómo y cuándo deben hacer las cosas, pero deben tener los recursos necesarios para poder hacer frente al sufrimiento y a la adversidad. Eso es tarea de los padres, de la escuela y creo que de la sociedad en general.

Como os decía en el inicio de este prólogo, el segundo motivo de mi sonrisa son los adolescentes. Tras casi quince años de trabajar con ellos debo agradecerles lo mucho que aprendo cada día de su mundo, las lecciones que me dan y que, gracias a pasar tantas horas juntos, sigan manteniendo a mi niña interior, que espero no se vaya nunca. Creo que hay que desestigmatizar a la adolescencia y dejar de verla como una época evolutiva conflictiva. Nada más lejos de la realidad. Siempre digo que es una época de construcción y crecimiento, lo que no quiere decir que sea fácil, eso es cierto. Si la dificultad reside en algún punto es justamente ahí, en el esfuerzo que debemos realizar todos y cada uno de nosotros en esta maravillosa etapa de la vida. Los padres, por un lado, al aceptar que esos niños ya han crecido, y los adolescentes para entender que todavía no son adultos. No son extraterrestres, no quieren nada que no queramos los adultos. Sus anhelos principales son sentirse queridos, aceptados, comprendidos y respetados. Si estos cuatro preceptos son bidireccionales en la convivencia entre padres e hijos adolescentes, todo irá bien. Para ello se hace necesario combinar lo que yo considero los dos ingredientes fundamentales de la educación y que tan bien desarrolla Óscar González en este maravilloso y utilísimo manual: amor y autoridad. Ello requiere tiempo, paciencia y dedicación. No se puede educar a distancia, ni en la ausencia, ni sin normas ni límites, ni sin comunicación, ni sin mostrar interés por lo que les preocupa. Hay que estar y trabajar. Si descuidamos, se descuidan.

En este manual encontrarás herramientas, recursos, orientaciones y pautas expuestos de una manera muy práctica para que te acompañen en el proceso de educar y convivir con un adolescente; pero todo lo demás, lo que de verdad importa, no lo encontrarás en las páginas de ningún libro. Me refiero a lo que te decía antes: a interiorizar la educación como un acto de responsabilidad y amor; eso está en tus manos. Si ya has leído hasta aquí no me cabe ninguna duda, y creo que a mi querido Óscar tampoco, de que te estás *ocupando* y no *preocupando* por la educación de tu hijo adolescente. Te invito a que sigas por ese camino. En las siguientes páginas encontrarás los recursos, lo esencial ya lo has puesto tú.

Sònia Cervantes

Psicóloga. Autora de *Vivir con un adolescente*
y *¿Vives o sobrevives?*

Presentación

Si buscas resultados distintos no hagas siempre lo mismo.

ABERT EINSTEIN

Todos los padres queremos educar a nuestros hijos de la mejor manera posible. Esto es una realidad. Pero en la actualidad, muchos nos estamos encontrando con serias dificultades para conseguirlo. Nunca hasta ahora habíamos tenido acceso a tantísima información sobre cómo educar a nuestros hijos ni se habían escrito tantos libros sobre educación y *parenting* como hoy. Tampoco habíamos tenido acceso tan fácil a profesionales a los que poder consultar nuestros problemas educativos diarios como los que tenemos hoy en día. Esto debería facilitarnos criar y educar a nuestros hijos, pero la realidad nos muestra lo contrario: nunca ha resultado tan difícil educarlos como ahora. ¿Qué está ocurriendo?

Los padres de hoy, en términos generales, nos encontramos realmente agobiados, perdidos y desorientados. Afrontamos nuestra tarea educativa cargados de miedos, dudas e inseguridades preguntándonos constantemente si lo estaremos haciendo bien. Otros, desbordados, afirman directamente no saber qué hacer con sus hijos porque, como se suele decir, no vienen con manual de instrucciones. La sociedad actual tampoco nos facilita las cosas: excesivas obligaciones, dificultades para conciliar familia y trabajo, un ritmo de vida acelerado y un largo etcétera. Vivimos en una sociedad en la que los cambios son tan rápidos que nos impiden educar con calma y serenidad. Y es urgente y necesario cambiar esta dinámica si queremos vivir y disfrutar al máximo de esta experiencia única.

> *El siglo XXI es la época en que la velocidad del cambio ha superado nuestra capacidad para controlarlo.*
>
> RICHARD GERVER

El objetivo de la Colección Escuela de padres es ayudarte a educar bien, con sentido común y criterio. No se trata de un manual de instrucciones sino de una completa guía que te servirá como hoja de ruta desde el nacimiento de tu hijo hasta su adolescencia. Considera estos libros como unos compañeros de viaje en esta tarea, que no es tan difícil como parece, y a los que podrás acudir cuando lo consideres necesario. Esta colección contiene la información fundamental que te facilitará ejercer tu tarea educadora y conseguirá que las relaciones familiares sean mucho más gratificantes y enriquecedoras. Te mostraré de qué forma valorar y tener en cuenta a tus hijos para que consigan confianza y seguridad en sí mismos, y logren una autoestima sana y sólida. Aprenderás a guiarlos y orientarlos de la manera correcta, y a educar sus emociones. También aprenderás a establecer normas y límites de forma adecuada. Te facilitaré pautas de actuación que permitan resolver con éxito los problemas que te irás encontrando en cada una de las etapas educativas.

Se trata, pues, de una colección útil y práctica que huye de complicadas teorías educativas para ofrecerte consejos, pautas, técnicas y herramientas que ya han sido puestas en práctica y han mostrado que son eficaces para educar niños felices y convertirlos en adultos felices, pues cabe recordar que los niños de hoy serán los adultos del mañana. Además, todos los libros de la colección contienen actividades y ejercicios que invitan a la reflexión y a la acción.

La educación es una ciencia y también un arte, un arte que debe aprenderse. Estos libros pretenden ayudarte a conseguirlo de manera sencilla y práctica. Pero no lo olvides, al final vas a ser tú quien ponga en práctica las ideas que te ofrezco. Nadie puede educar por ti: es tu compromiso y la tarea más importante que se te ha encomendado. Comprométete a hacerlo de la mejor manera posible.

¿Nos ponemos en marcha?

¿Por qué puede ayudarte este libro?

Como ya he señalado, todos queremos educar mejor a nuestros hijos para que, de esta manera, puedan crecer felices. Con este libro vas a:

- ➤ Aprender las claves necesarias para educar a tus hijos con verdadera inteligencia, sentido común y criterio.
- ➤ Aprender los criterios necesarios para educar de manera eficaz en la etapa de la adolescencia.
- ➤ Lograr un ambiente familiar óptimo para el desarrollo y crecimiento integral del adolescente.
- ➤ Convertirte en un padre con herramientas educativas actualizadas. Es decir, convertirte en un auténtico padre del siglo XXI con capacidad para educar hoy.

En este libro te ofrezco las claves para conseguir todo esto y mucho más. Se trata de una obra de consulta sencilla que te será útil en la etapa de la adolescencia. Conocer lo que corresponde al niño en cada etapa te será de mucha ayuda. Mi objetivo es que cuando termines de leerlo y según lo vayas poniendo en práctica puedas afirmar que te ha sido de utilidad.

Déjame proponerte un reto antes de que empieces a leerlo: cuestiona todo lo que te proponga y acéptalo como válido únicamente si al ponerlo en práctica te resulta útil.

No crea nada. No importa dónde lo lea o quién lo diga, incluso si lo he dicho yo, a menos que concuerde con su propio juicio y su sentido común.

BUDA

¿Para quién es este libro?

Este es un libro dirigido a padres –algunos de ellos primerizos, otros con más experiencia– que buscan aprender y mejorar en su *oficio y tarea de ser padres*. También va dirigido a todos los educadores (abuelos, profesores y adultos en general). No es preciso ser un experto en educación para comprender este libro y convertirse en un auténtico padre con talento. Es un libro al que le sacarás mucho partido si:

1. **Eres padre:** tienes un hijo (por lo menos) o vas a tenerlo y quieres aprender a educarlo de la mejor manera posible disfrutando al máximo de cada una de las etapas educativas.

2. **Quieres conocer lo que acontece en la etapa educativa** por la que ahora está atravesando tu hijo y prevenir posibles problemas y dificultades con las que te irás encontrando en un futuro no muy lejano. Cada etapa nos presenta nuevos retos y desafíos para los que debemos estar preparados.

3. **Quieres consejos prácticos y útiles para mejorar en tu tarea de ser padre** recibiendo la máxima información sobre el tema. Quieres estar al día y necesitas herramientas para educar mejor desde hoy mismo.

Parto de la idea primordial de que el amor incondicional y el respeto hacia el niño son dos elementos fundamentales para favorecer su crecimiento.

Iconos utilizados en el libro

Para ayudarte a encontrar la información esencial o para destacar datos relevantes he incorporado los siguientes iconos a lo largo del libro:

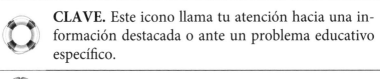

CLAVE. Este icono llama tu atención hacia una información destacada o ante un problema educativo específico.

RECUERDA. Destaca aspectos esenciales que debes recordar.

EJEMPLO. Avisa de que estoy exponiendo un ejemplo práctico que muestra cómo abordan otros padres un problema concreto.

OJO. Atraeré tu atención sobre aspectos importantes que te serán de mucha ayuda.

ACTIVIDAD. Mediante este icono podrás localizar con facilidad los diferentes ejercicios (actividades prácticas y de reflexión) que te propongo para que desarrolles al máximo tu **talento educativo.**

CONSEJO DE EXPERTO. En cada apartado conversaremos con expertos (psicólogos, pediatras...), que nos ofrecerán las claves educativas sobre determinados temas y problemas específicos. Además, incluyo ideas de grandes expertos en educación que te ayudarán a reflexionar sobre tu intervención educativa con tus hijos.

1

La adolescencia como oportunidad

*Nosotros nacemos, por así decirlo, dos veces: la
primera para existir, y la segunda para vivir... La
adolescencia es un segundo nacimiento.*

JEAN-JACQUES ROUSSEAU

Entramos en una nueva etapa: la compleja y temida adolescencia en la que el niño quiere pasar el mayor tiempo posible con sus amigos, empieza a tener una opinión propia, sus decisiones no siempre coinciden con las nuestras y empiezan a mostrar interés por las relaciones sexuales. Pero esto no es nada nuevo. Fíjate cómo describía Platón a los adolescentes en el siglo VI a.C:

> A los jóvenes de hoy les gusta el lujo. Tienen malos modales y rechazan la autoridad. Muestran falta de respeto hacia las personas mayores y prefieren cotillear que hacer deporte.

Por este motivo me parece importante incidir en la normalidad de esta etapa: consideremos normales los cambios que se producen en ella y ayudemos a nuestros hijos a afrontarlos con responsabilidad. Quizá lo que más precisan de nosotros en ese momento es comprensión.

Una gran oportunidad

> *Cuando yo tenía catorce años, mi padre era tan*
> *ignorante que no podía soportarlo. Pero cuando cumplí*
> *los veintiuno, me parecía increíble lo mucho que mi*
> *padre había aprendido en siete años.*
>
> MARK TWAIN

Muchos padres y madres hablan de la adolescencia en términos negativos, dramáticos y catastrofistas. La suelen definir como una etapa en la que tenemos que sufrir (y no disfrutar). Me gustaría ofrecer en este libro una visión completamente diferente y optimista de esta maravillosa etapa. Una etapa que también se puede y se debe disfrutar.

Los padres tenemos que apreciar esta etapa como una verdadera oportunidad. Debemos tener presente que solo podremos entender la adolescencia si no la vemos como una «etapa aparte», sino como un periodo en donde se manifiesta lo que el niño ha recibido en su infancia. Por tanto, la forma en que hemos educado a nuestro hijo y aquello que le hemos ofrecido cuando era solamente un niño, determinará su forma de actuar y comportarse en la adolescencia. En términos generales, un buen niño será un buen adolescente aunque también rebelde y distante –características propias de esta etapa–. Pero al mismo tiempo nos van a necesitar a su lado. Nos toca, pues, reflexionar sobre el modo en que estamos ejerciendo la paternidad no solo en esta etapa sino en las que la preceden.

Los adolescentes no son niños ni tampoco adultos pero nosotros, los padres, en ocasiones los tratamos como niños y estos se
rebelan, fruto de un sentimiento de independencia que empiezan a manifestar. En otras ocasiones los tratamos como adultos
y les echamos en cara que se comporten como críos y esto también les daña haciéndoles sentir más que ridículos. Es una etapa
de continuos conflictos (a todos los niveles): es un continuo tira
y afloja entre los padres y el niño. Una etapa de crecimiento y
adaptación a una nueva situación.

Hemos de tener en cuenta que los adolescentes de hoy no son
ni mejores ni peores que los de otras generaciones, simplemente son diferentes. Por tanto, tenemos que prepararnos
bien para los desafíos que nos encontraremos en esta etapa,
que nos pondrán a prueba a diario. Debemos educar desde la
exigencia pero con ternura. Dicho de otro modo, con autoridad y cariño. Aquí no nos sirve la permisividad pero tampoco
el autoritarismo.

No tenemos otro camino si queremos que la adolescencia
sea una preciosa oportunidad para que rectifiquemos aquello que hemos enseñado mal y también aquello que no han
aprendido correctamente. Estamos ante una etapa más que
necesaria. Según la doctora Iroise Dumontheil,[1] investigado-
ra del Institute of Cognitive Neuroscience de la University
College of London:

> La adolescencia es una fase necesaria. Sin ese cerebro insensa-
> to, ¡quizá nos habríamos extinguido como especie! La insensa-
> tez llevó al adolescente primitivo a cazar, guerrear, buscar
> pareja... Y llegar hasta hoy.

---

1. La contra de *La Vanguardia* (14-5-12) http://www.lavanguardia.com/lacontra/
20120514/54292662136/iroise-dumontheil-sin-la-insensatez-adolescente-nos-habria-
mos-extinguido.html

✓ **Actividad**. Tú también fuiste adolescente. Intenta contestar con sinceridad estas preguntas:

- ¿Qué sentiste cuando tu cuerpo empezó a cambiar? ¿Te gustabas?
- ¿Qué pensabas de tus padres y de todo aquello que te decían?
- ¿Te molestaba sentirte incomprendido?
- ¿Cómo reaccionabas ante esta incomprensión?

¿Qué sentimientos tenemos los padres en esta etapa?

Durante la adolescencia de nuestros hijos, y a medida que esta se va acercando, nos invade un sentimiento de desconcierto e inseguridad. Nos asaltan múltiples miedos y dudas por no saber si seremos capaces de afrontar este periodo en condiciones y de ofrecer a nuestros hijos las herramientas que realmente necesitan para crecer felices.

El paso de la niñez a la adolescencia con esos grandes cambios que comporta nos supera. Nos desconciertan:

➤ Sus cambios constantes de humor.

➤ Sus estados de ánimo tan cambiantes y «volátiles».

➤ Ya no es el niño de hace unos años.

➤ Quiere salir con sus amigos y no con nosotros.

➤ Se encierra en sí mismo (en ocasiones con la música a todo volumen).

➤ Empieza a preocuparse por su imagen personal (ropa, aseo...).

➤ En ocasiones nos contesta muy mal.

➤ Parecen quererlo todo y lo quieren ya.

Nos asaltan las dudas y estamos continuamente preguntándonos si lo estaremos haciendo bien. Estas son algunas de las dudas más frecuentes que los padres manifiestan cuando vienen a las Escuelas de Padres y Madres:

- ➤ ¿Por qué actúa de esa forma con nosotros?
- ➤ ¿Por qué ha cambiado tanto?
- ➤ ¿Qué hemos hecho mal?
- ➤ ¿Por qué se porta tan mal?
- ➤ ¿Hasta qué hora le dejo salir?
- ➤ ¿Por qué siempre discutimos?

Es fundamental que en esta etapa los padres acompañemos a nuestro hijo en ese proceso de autodescubrimiento e independencia personal en el que pasa de niño a adulto. Esa es nuestra función: orientar, acompañar, ayudar, exigir responsabilidades, dialogar..., pero desde un segundo plano. Como muy bien dicen Carlos Goñi y Pilar Guembe, «tenemos que estar sin que se note».

¿Qué piensa el adolescente de los padres?

Los padres tenemos una imagen o proyección de lo que es la adolescencia. De la misma forma, nuestros hijos adolescentes también tienen una imagen estereotipada de los padres. En esta etapa, aunque tú no lo oigas, tu hijo dirá cosas como estas sobre vosotros:

- ➤ Nos repiten las cosas mil veces.
- ➤ Siempre están con lo mismo.
- ➤ Siempre me están fastidiando.
- ➤ No me entienden.
- ➤ No me dejan en paz.

Ahora que no nos escucha tu hijo, ¿tú no decías lo mismo cuando eras adolescente? (o por lo menos lo pensabas).

En esta etapa es muy importante que verbalicemos nuestras emociones. No es suficiente con querer e nuestro hijo: se lo tenemos que decir y recordar a diario. Estas son algunas expresiones que nuestro hijo adolescente necesita escuchar de nosotros:

- ➤ ¿Cómo te encuentras?
- ➤ Me siento muy orgulloso de ti.
- ➤ Me alegra verte feliz.
- ➤ Hijo, tú puedes hacerlo.
- ➤ Estaré ahí siempre que me necesites.

Cuando le digas estas cosas, tu hijo debe percibir sinceridad. No se trata de decirlas por decirlas. El objetivo es que se sienta escuchado y vea que nos preocupamos por él siendo capaces de decir lo que sentimos. Una vez más, educamos con nuestro ejemplo y expresar lo que sentimos no nos debilita sino que nos fortalece.

Los padres: ¿nos preocupamos o nos ocupamos?

Vivimos en una sociedad de padres excesivamente preocupados (*hiperpreocupados*). Creo que este exceso de preocupación es lógico cuando vivimos en un mundo que nos bombardea con mensajes negativos y pesimistas sobre cómo educamos a nuestros hijos.

Nos encontramos con que muchos «expertos» no dejan de transmitirnos mensajes centrados sobre todo en aquello que hacemos mal. Esto nos produce un sentimiento de angustia y ansiedad casi por todo y acabamos por perder la confianza en nosotros mismos a la hora de educar. Debemos tener en cuenta que el 99% de los problemas por los que nos preocupamos no llegan a presentarse nunca.

Por este motivo debemos empezar a cambiar nuestra actitud, mantener la calma y empezar a disfrutar en el presente de esta fantástica etapa por la que están atravesando nuestros hijos.

Cuando algo te preocupe en la educación de tus hijos sigue los siguientes pasos:

1. **Pregúntate** si está justificada la preocupación.

2. **Si está justificada**, empieza a tomar medidas y en lugar de preocuparte, ocúpate para darle solución.

3. **Si no está justificada**, considérala algo inútil y dedícate a cosas más productivas.

Confía en ti para educar a tu hijo adolescente

Como muy bien señalan Begoña del Pueyo y Rosa Suárez en su libro *La buena adolescencia*:

> Disfrutar de los hijos y verlos crecer, también en la etapa de la adolescencia, no es una utopía. Puedes conseguirlo si evitas hacer tuyos los prejuicios que impiden actuar con la misma serenidad que se ejerce de madres y padres en su primera etapa de crecimiento.

Por este motivo destaco aquí uno de los problemas más frecuentes que nos encontramos en los padres de hoy: no tenemos suficiente confianza en nosotros mismos y en nuestras propias capacidades a la hora de educar. Esto es algo que debemos empezar a cambiar si queremos educar mejor a nuestro hijo adolescente, porque cuando estamos convencidos de que podemos, de que realmente somos capaces, nuestras posibilidades son ilimitadas y logramos así lo que nos proponemos.

En cambio si nuestra actitud es temerosa e insegura, y actuamos sin confianza ante nuestros hijos, sin querer les transmitiremos tanto a ellos como a quienes nos rodean un mensaje claro: «ya no podemos más» o «ya no sabemos qué hacer con él». De este modo estaremos asentando los cimientos de un fracaso educativo asegurado.

Comprendo que hay situaciones muy difíciles y agobiantes. Es en esos momentos cuando debes pedir ayuda. Ante todo mantén la confianza en que las cosas pueden ser diferentes y que eres tú quien tiene la capacidad de cambiarlas.

Contesta con sinceridad esta cuestión:

> *¿Crees que no puedes hacer nada para cambiar la situación educativa que se vive en tu casa en estos momentos o, por el contrario, hagas lo que hagas todo va a seguir igual?*

Si crees que todo seguirá igual debes ponerte a trabajar y empezar a cambiar tu actitud. El cambio puede producir resultados asombrosos. Comprobarás que si quieres que las cosas cambien debes ser tú quien introduzca ese cambio.

No dejes que nada ni nadie te haga perder la confianza en ti mismo. En ocasiones algún familiar, amigo o el profesor de tu hijo puede mostrarte que no estás actuando correctamente en tu acción educativa diaria. Esto no debe llevarte a considerarte un «fracasado» en tu rol de padre. Al contrario, debes tomarlo como una oportunidad que te ayude a reflexionar sobre tu manera de actuar. Un consejo:

> *Cree en ti mismo. ¿Cómo quieres que los demás crean en ti, si tú no crees en ti?*

Comprobarás que si actúas con seguridad y confianza todo cambia... a mejor.

Lee con atención estas opiniones extraídas de padres participantes en la gira del teatro-fórum *Cada familia importa*:[2]

> ➤ Si te sientes culpable por tu modo de ser padre o madre, entonces ciertamente tienes que cambiar tu estilo de paternidad, es más importante que seas feliz… tus hijos están contigo para el resto de tu vida; si no eres feliz en lo relativo a la paternidad, entonces te queda mucho tiempo para ser desgraciado.

> ➤ Soy abuela y esto me ha hecho comprender que como madre viví muy agitada. Los hijos tienen su propio ritmo. Gracias a mi edad, ahora estoy más relajada. Y cuanto más relajada te encuentras tanto más fácil te resulta todo. Los niños hacen las cosas a su ritmo, a veces lo que necesitamos es aprender a esperar.

Sentirte confiado en tu capacidad para educar es importante por dos motivos fundamentales:

1. Te sentirás bien con lo que estás haciendo. No se trata de hacerlo a la perfección, sino de la mejor manera posible.

2. Ser padres que actúan con confianza transmitirá confianza y seguridad a tus hijos.

Ejemplo.[3] Una encuesta de la FAD entre familias con hijos de 4 a 6 años reveló que el 46% de los padres tienen miedo de que los hijos crezcan y aseguran que preferirían convivir con una infancia eterna ante el temor a su incursión en las drogas, el sexo no seguro y el resto de los peligros que acechan a sus hijos en los entornos cada vez más complejos en los que se mueven en la adolescencia.

---

2. *Familias felices. El arte de ser padres*, Autores Varios, Ed. Desclée De Brouwer.
3. *La buena adolescencia*, Begoña del Pueyo y Rosa Suárez, Ed. Grijalbo.

Autosabotaje educativo

Somos aquello en lo que creemos.

Wayne W. Dyer

Fruto de los miedos, inseguridades y de esta pérdida de confianza en nosotros mismos para educar en esta difícil etapa, ponemos en marcha un complejo mecanismo de autosabotaje que nos hace ver las cosas de manera negativa y dejamos que se asienten en nosotros una serie de creencias limitantes que nos paralizan: «ya no sé qué hacer», «no sé de qué forma actuar», «no sé educar», «soy un fracaso total como padre», «no puedo hacerlo peor»… Esto es algo que vamos a cambiar de inmediato si queremos tener éxito en nuestra tarea educativa, pues de lo contrario acabaremos asumiendo estas creencias como ciertas y válidas.

Pero, ¿de qué forma podemos combatir este autosabotaje? Es más sencillo de lo que parece. Aquí te dejo algunas ideas para conseguirlo:

- ➤ **Mensajes positivos = ÉXITO.** Empieza a sustituir estos mensajes negativistas por otros más positivos que te ayuden a convencerte de que realmente tienes la capacidad de hacer bien las cosas y educar bien a tus hijos.

- ➤ **Mensajes negativos = FRACASO.** Si crees que algo va a salir mal, acabará saliendo mal. Si nuestra actitud es de miedo e inseguridad con nuestros hijos y el entorno, acabaremos transmitiendo esta inseguridad a nuestros hijos, ya que somos el espejo en el que se miran.

- ➤ **No aspiremos a ser padres perfectos:** debemos asumir que, a pesar de nuestros buenos deseos e intenciones de hacerlo bien, estamos expuestos a que algo salga mal y no pasa absolutamente nada.

➤ **Evita compararte con otros padres y madres:** cada uno hace las cosas lo mejor que sabe y puede.

➤ **Aprovecha tus errores y conviértelos en oportunidades** para aprender, mejorar y crecer en tu rol de padre.

¿Padres o colegas?

«Yo soy amigo de mis hijos». Es una afirmación que escucho muy a menudo. Por supuesto que es bueno aspirar a ser amigos de nuestros hijos pero es importante recordar que no podemos renunciar a nuestro papel de padres, que es insustituible: el adolescente necesita que cada uno cumpla su papel.

Es bueno que los padres nos mostremos amistosos y que dediquemos tiempo a jugar con nuestros hijos, pero en la actualidad nos estamos encontrando casos de padres (yo los denomino *hiperpadres* o *superpapás*) que parecen estar examinándose continuamente cuando pasan tiempo con sus hijos. Se preguntan a sí mismos: «¿lo estaré haciendo bien?, ¿se estará divirtiendo?, ¿tendrán suficiente con esto o le doy más?». Vamos, más que padres parecen monitores de tiempo libre de sus hijos cargados siempre de una tremenda ansiedad porque sus hijos se diviertan.

Estar cerca de ellos no significa que hablemos como ellos o que usemos sus mismas expresiones. No tenemos que ganarnos a nuestros hijos con el colegueo fácil queriéndoles demostrar que somos unos padres *guays* porque no podemos perder de vista que nuestros hijos van a tener muchísimos amigos, muchos colegas pero solo un padre y una madre. Por tanto, necesitan que actuemos como tales. No pensemos que por marcarles unas normas y establecer unos límites claros nos van a querer menos: es lo que necesitan. Como muy bien afirma María Jesús Álava Reyes:

Nada desconcierta más a los niños que la ausencia de normas.

Los niños necesitan que actuemos como se espera de nosotros, es decir, como adultos. Tenemos que asumir nuestro rol por el bien de su correcto desarrollo. Padres e hijos no tenemos la misma edad, ni la misma experiencia o autoridad. Lo dice Emilio Calatayud: «Yo soy padre de mis hijos, no su colega porque si no los estoy dejando huérfanos». Y añade: «en España no hay término medio y hemos pasado del padre autoritario al padre colega pasando de ser esclavos de nuestros padres a ser esclavos de nuestros hijos».

Insisto, es bueno aspirar a ser amigo de tu hijo, si entendemos por amigo alguien que va a estar ahí siempre que lo necesites y no alguien que adopta actitudes infantiles, que no se corresponden con su edad: querer ser amigo y colega de los amigos de tu hijo, salir de fiesta con tu hijo «a ligar»... No es saludable y siempre tiene consecuencias negativas.

No lo olvidemos: somos un referente para nuestros hijos, necesitan situarse y situarnos. No les ofrezcamos mensajes contradictorios pues dificultará ese «saber ubicarse». No podemos ni debemos invertir roles. Begoña del Pueyo y Rosa Suárez lo explican muy bien:

> Desistir de ser colega no significa renunciar a la proximidad en el diálogo. La cercanía también se consigue con una sonrisa cómplice, un gesto cariñoso o el contacto físico. La complicidad que más puede necesitar la conseguirás poniéndote en su lugar, para trabajar desde la comprensión y no desde el enfado.

#Leído en internet

Las claves necesarias para entenderte con tu hijo adolescente (por Fernando Alberca)

> ➤ La adolescencia es la etapa más rica que tiene el ser humano.

➤ Es la más creativa y donde más conflictos se resuelven.

➤ Es necesario exigir, comprender, querer, saber escuchar, ser pacientes y, sobre todo, darles seguridad.

➤ El adolescente hace caso a sus padres pero nunca se lo va a demostrar ni a reconocer.

➤ La seguridad es algo fundamental de lo que los adolescentes, como su propia palabra indica, adolecen. Necesitan seguridad, confianza en sí mismos.

➤ Les falta el equilibrio porque saben que aún no están formados, que están creciendo y que tienen todavía mucho camino por andar.

➤ Les da miedo la exposición y el juicio de los demás, por ello se recluyen y, además, necesitan hacerlo en su cuarto. Allí pueden sentirse libres y se adentran en su mundo interior y su silencio porque están elaborando su personalidad. Hay que respetar esa necesidad que tienen y no exigirles que hagan cosas de adultos ni tampoco recriminarles que hagan cosas de niños.

➤ Los padres deben dar a su hijo la confianza que necesita, enfatizando sus aciertos, explicándole dónde ven su inteligencia y su bondad. Entonces elegirá bien su camino.

➤ Todos los adolescentes tienen complejos y, sean más o menos guapos, todos son temerosos e inseguros, ya que es un aspecto propio de la edad. Tienen complejos porque aún no han experimentado todavía el éxito con esos defectos. A pesar de tener una nariz o un cuerpo que no les guste, pueden tener mucho éxito con otras personas

#4 citas en las que inspirarte

1. *Un adolescente rebelde es recuperable con autoridad pero también con amor.*
   Sònia Cervantes

2. *La adolescencia es la oportunidad perfecta para aprender la relación entre derechos y responsabilidades.*
   Richard Templar

3. *Los adolescentes, psicológica y socialmente, precisan de límites.*
   Javier Urra

4. *A medida que el hijo crece aumenta también su necesidad de explorar, de hacer, de resistirse, de ponerse a prueba y de alejarse de los padres.*
   Jaume Soler y M. Mercè Conangla

2

Convivir con un adolescente

*La mejor arma que una madre o un padre
puede dar a su hijo es la competencia personal y hacerle
capaz de plantearse las preguntas importantes.*

JAVIER ELZO

Nos adentramos en esta etapa compleja en la que tu hijo ha dejado de ser un niño, pero aún no se ha convertido en un adulto. Como ya he destacado, es una etapa de grandes cambios físicos, psicológicos, personales y sociales. La convivencia con un adolescente es a veces difícil y compleja. Requiere de mucha comprensión, empatía y paciencia por nuestra parte. Veamos algunas características destacadas de esta etapa:

➤ Necesitan independencia.

➤ Su referente es su grupo de amigos.

➤ La familia pasa a un segundo plano.

➤ Cuestionan las normas familiares.

➤ Muestran una actitud de rebeldía ante la autoridad.

💡 Consejo de experto (por Sònia Cervantes)

Comparto aquí la entrevista que le hice a Sònia Cervantes con motivo de la publicación de su fantástico libro *Vivir con un adolescente*.

¿De qué forma tenemos que afrontar la adolescencia de nuestros hijos?

De forma natural, sin vivirlo como una dificultad en sí. Para ello deben darse tres variables:

- tiempo o dedicación,
- paciencia y constancia y
- afecto y cariño.

A veces los problemas surgen porque esos ingredientes no apetecen en la receta de la educación parental.

¿Por qué hay padres que temen la adolescencia?

Porque es una época difícil y en eso no les quito la razón. Lejos de ser un temor debería ser un reto que permita el enriquecimiento mutuo. Los padres también pueden aprender de los hijos. El temor aparece cuando no saben cómo hacer frente a las cuestiones difíciles.

¿Qué tres consejos darías a esos padres que no saben qué hacer con su hijo adolescente?

Ante todo el *Keep Calm* tan de moda. Si el adulto pierde el control, el adolescente va perdido. Mantenerse firmes, dialogantes, respetuosos, comprensivos y afectuosos. Al fin y al cabo, el trato que pide el adolescente no es muy distinto al que pedimos nosotros por parte de los demás: sentirse aceptado, comprendido y querido. En la firmeza de criterios y el cariño reside la clave.

Comunicarnos con un adolescente

La comunicación es muy importante en la relación con nuestros hijos. Lo que ocurre es que no la cuidamos lo suficiente desde la infancia. Y es ahí justamente cuando nuestro hijo precisa que le prestemos atención, que le escuchemos ese día que viene del cole con un dibujo y quiere contarnos todos los detalles, pero choca con nuestra reacción que suele ser la de atender otras cosas «más importantes». No esperes a la adolescencia para entablar diálogo con tu hijo, empieza cuanto antes mejor.

La comunicación con un hijo adolescente suele ser compleja. Requiere de un esfuerzo por nuestra parte para entender no solo lo que nos dice sino «lo que está queriendo decir en realidad». Es necesaria una escucha en profundidad, en la que estemos atentos a sus necesidades y sentimientos en el día a día. Debemos ver más allá de esa imagen de incomprensión que manifiesta.

Como señala Fernando Alberca en su libro *Adolescentes. Manual de instrucciones*, para que este diálogo obtenga los frutos que padres e hijos buscamos y necesitamos, se deben cumplir las siguientes características:

- ➤ Ha de ser un diálogo entre iguales.
- ➤ Ha de ser fruto siempre del amor. Quien sabe escuchar sabe amar.
- ➤ Ha de ser sereno.
- ➤ Ha de ser respetuoso.
- ➤ Ha de buscar siempre el bien para el adolescente.

Por tanto, hemos de prepararnos y estar dispuestos a escuchar a nuestro hijo adolescente con calma y sin alterarnos.

✓ **Actividad**. ¿Eres capaz de escuchar a tu hijo adolescente más de 5 minutos sin interrumpir?

Lo que suele ocurrir es que en lugar de comunicarnos con nuestro hijo adolescente casi siempre acabamos discutiendo. Esto es así porque cometemos una serie de errores que podemos evitar:[4]

➤ Acusamos, criticamos, insultamos o reprochamos cosas que no tienen nada que ver con la conversación.

➤ Interrumpimos mientras nos hablan.

➤ Menospreciamos el argumento del otro restándole valor a lo que nos dice.

➤ Malinterpretamos lo que nos dice nuestro interlocutor.

➤ Dejamos la discusión a medias y al otro con la palabra en la boca.

¿Qué debemos hacer entonces?

➤ Mantener una escucha activa.

➤ No «saltar» y ponernos a la defensiva.

➤ Centrarnos en la solución y no en el problema.

➤ Conectar con las emociones.

➤ Hablar en positivo.

Recuerda. una buena escucha vale más que mil palabras.

---

4. *Vivir con un adolescente*, Sònia Cervantes, Ed. Oniro.

Como puedes comprobar, la comunicación en la adolescencia es muy importante, no solo por lo que decimos sino por cuánto escuchamos a nuestros hijos. En ocasiones nos enfadamos con él, es algo normal y natural. No es malo. El problema está en qué les decimos cuando estamos enfadados. Debemos cuidar mucho nuestras palabras, ya que podemos herir sus sentimientos.

A continuación quiero compartir contigo algunas expresiones que jamás deberíamos decir a nuestro hijo adolescente:

➤ No puedo contigo.

➤ A ver si te marchas pronto de aquí.

➤ ¿Qué habré hecho yo para tener que aguantar un hijo como tú?

➤ Me has decepcionado.

¿De qué podemos hablar?

Podemos abordar múltiples temas para hablar con nuestros hijos. Veamos algunos ejemplos:

➤ Temas que son de su interés. Aunque a ti no te interesen lo más mínimo debes mostrar atención e interés por lo que te cuenta tu hijo. El niño debe percibir que nos gusta conversar con él.

➤ Hablar de nuestros sentimientos. Expresar los nuestros y que el niño pueda compartir los suyos con nosotros.

➤ Temas de actualidad. Podemos abordar temas cotidianos, de actualidad y aprovecharlos para la transmisión de valores. Temas que nos ayuden a reflexionar de manera conjunta con nuestros hijos. Explícaselos de manera que los pueda entender.

➤ Temas «tabú». Hay temas que no podemos dejar de lado y tenemos que abordar con nuestros hijos en algún momento, como por ejemplo el sexo, las drogas, etc. Siempre adaptándolos a su momento evolutivo para que lo pueda entender.

Enemigos de la comunicación

Pero cuidado, tenemos unos enemigos que hay que combatir si queremos llevar a cabo una comunicación efectiva con nuestros hijos. Estos son algunos:

➤ **Las prisas y la falta de tiempo.** Siempre vamos acelerados repitiendo frases como «Venga vamos, que no llegamos...» o «Vamos rápido que hora te tocan extraescolares». No encontramos tiempo para hablar tranquilamente con nuestros hijos. Debemos buscar ese tiempo y destinar una parte a hablar y dialogar con los niños. Hay padres que no conocen a sus hijos: ni sus gustos, ni sus preferencias, ni sus sentimientos... Aprovechemos el tiempo del fin de semana para poder hacer esto con más calma.

➤ **La tecnología.** La tecnología no es mala pero un mal uso nos puede llevar a la incomunicación más absoluta. Encontramos hogares donde la comunicación se da únicamente a golpe de clic y emoticonos. Necesitamos ir más allá, apagar las pantallas (televisión, móviles, tablets...) y cuidar la comunicación cara a cara con nuestros hijos y pareja.

Confía también en tus hijos adolescentes

Si es importante que confíes en ti mismo para educar no lo es menos que confíes en ellos: tus hijos. En esta etapa, tu hijo necesita más que otra cosa que le ofrezcas tu confianza. Evita frases como «no aprenderás jamás» o «los adolescentes no valoráis nada». Tu hijo debe percibir que es aceptado tal como es: único y especial. Vuestra relación debe estar basada en la confianza y tus hijos deben saber que estás siempre ahí para que puedan recurrir a ti en cualquier momento. En palabras de la profesora de ESADE Marta Grañó:

> Es importante confiar y ser capaz de transmitir a un niño que crees firmemente que va a conseguir aquello que se propone. ¿Por qué? Por la simple razón de que esa confianza es una fuente de motivación muy potente para que el niño canalice sus esfuerzos hacia los objetivos que quiere lograr.
>
> Confiar en los demás no es algo fácil. Mucha gente suele partir de la base de la desconfianza. En el ámbito educativo, es probable que sea más fácil desconfiar de los alumnos o de los hijos y actuar bajo las premisas de que no se van a esforzar por hacer lo que se les indica.
>
> ¿Por qué deberíamos confiar en los alumnos o en los hijos? Es necesario confiar en ellos porque la confianza les ayudará a desarrollar su autoestima y les hará crecer.
>
> La afirmación no es gratuita. Existen estudios científicos que demuestran la correlación entre el hecho de tener confianza en un niño y el desarrollo futuro que va a tener ese niño. Cuanta mayor confianza en un niño, mayor probabilidad de éxito en conseguir sus metas. El neurocientífico Joaquín Fuster comenta, además, la importancia de la relación entre el alumno y su profesor para la formación, dado que la aceptación que recibe el alumno del profesor refuerza más la necesidad de recibir información, le estimula a querer aprender más.
>
> Confiar en los niños es promover en ellos una seguridad necesaria para su desarrollo. Los educadores, profesores y padres,

podemos ayudar a los niños si les animamos a esforzarse por conseguir aquello que quieren. Es positivo confiar en ellos y demostrarlo. ¿De qué forma? No es complicado.

Tanto si crees que puedes como si crees que no puedes,
estás en lo cierto.

HENRY FORD

5 consejos para demostrar que confías en tus hijos adolescentes (por Marta Grañó):

1. **Dale cariño:** la autoestima en los niños aparece como resultado de sentir cariño de su entorno, de sentirse queridos. Es el primer peldaño imprescindible para demostrar confianza.

2. **Dedícale atención:** dedícale tiempo y con atención completa. Pocas acciones tienen un retorno tan alto como la atención a los niños. Invertir tiempo en compartir juegos, conversaciones o risas demuestra que son importantes en tu vida.

3. **Permítele cometer errores:** deja que tenga iniciativa para atreverse con temas nuevos, para poner en práctica sus ideas. Y si se equivoca no pasa nada. Es preferible que se equivoque y aprenda de sus errores a tener la actitud de «deja que yo lo haga» o «eso que quieres hacer es imposible».

4. **Felicítale por lo positivo que consigue:** cuando alcanzan un logro, es importante hacer que se sientan hábiles y capaces. Ello les dará confianza para perseguir su siguiente objetivo.

5. **Hazle sentir que estás seguro de que lo conseguirá:** los niños saben muy bien cuando alguien cree en su potencial. Este es un elemento de satisfacción para ellos y a la

vez de presión que les empuja a conseguir su objetivo, para no defraudar a esa persona que cree en él.

Sueño y descanso

Según se desprende de un reciente estudio de la Seaton Hall University (Nueva Jersey) realizado sobre 3.200 estudiantes de secundaria, el 62% de ellos utilizaba sus teléfonos después de acostarse, el 21% se despertaba durante la noche por el sonido de entrada de un mensaje y el 57% *whatsappeaba* de madrugada. Vicent DeBari, coautor del estudio, advierte de que esta actividad, mantenida noche tras noche:

> No sólo afecta a la calidad y cantidad del sueño de los adolescentes, sino que también parece tener un impacto negativo en su nivel de atención durante el día y en las notas que obtienen en la escuela.

En lo que se refiere a la calidad del sueño, el problema surge según el doctor Peter Polos, coautor del estudio, porque los adolescentes se sienten obligados a responder de forma inmediata a los mensajes, y así pueden estar durante horas:

> Estos intercambios provocan una excesiva estimulación cerebral durante la noche; además, la luz procedente del teléfono puede inhibir la secreción de melatonina, una hormona que se segrega durante la noche y fomenta el sueño.

Por tanto, los padres debemos tomar conciencia de este problema y limitar el uso del *smartphone*. ¿Cuál puede ser la medida más eficaz? Dejar el móvil fuera de la habitación cuando se van a dormir (y en caso de que lo tengan en la habitación que esté apagado).

Pautas de disciplina

Normas y límites

Vivimos en una sociedad en la que, por desgracia, muchas madres y padres todavía temen establecer límites y marcar unas normas a sus hijos. Existen diversas razones por las que no lo hacen. Entre ellas destaca el deseo de «gustar a sus hijos» y por ello nunca les dicen que no a nada. Otros quieren actuar como colegas de sus hijos creyendo equivocadamente que así los van a querer más. En palabras del pediatra Aldo Naouri:

> Este deseo de gustar a los hijos, que tienen prácticamente todos los padres, socava el ejercicio de su autoridad, pues se ven entregados en un auténtico concurso de seducción ante el niño.

Veamos un ejemplo concreto extraído del libro de Paulino Castells *Tenemos que educar*:

> Un padre va con su niño de siete años a unos grandes almacenes y tiene que pasar por la sección de juguetería. El buen hombre no tiene ningún interés en comprarle nada a su niño y, antes de entrar en la sección, le prohíbe que pida nada. Pero el crío, al ver la cantidad de juguetes allí concentrados, comienza a exigirle que le compre uno de ellos. Y como conoce los puntos débiles de su progenitor, y uno de ellos es que no le gustan los «espectáculos» en público, irrumpe desconsoladamente en un fuerte llanto que hace dirigir hacia él todas las miradas de los clientes que transitan la sección. Miradas tiernas y condescendientes para el crío y recriminatorias para el padre. El padre, apesadumbrado y acongojado, termina comprando el juguete de marras.

Tenemos que aprender a saber decir que no a nuestros hijos sin ningún tipo de complejos. ¿Cómo puede ser que haya niños que escuchen la palabra NO por primera vez cuando entran en la escuela? Es un síntoma de que algo está fallando.

Otro de los motivos por los que los padres no marcan límites es porque vivimos en una sociedad que antepone los derechos a los deberes, y eso está teniendo graves consecuencias en el terreno educativo tanto en el ámbito familiar como en el escolar. El psiquiatra brasileño Augusto Cury describe muy bien lo que está ocurriendo en la actualidad:

> Antiguamente, los padres eran autoritarios, hoy lo son los hijos. Antiguamente, los maestros eran los héroes de sus alumnos; hoy son sus víctimas.

Por ejemplo, hace años la sola presencia del profesor en el aula era suficiente para inspirar respeto y, por tanto, una cierta autoridad. Pero hay que tener en cuenta que, más que autoridad se trataba de un autoritarismo que en ocasiones era excesivo. En lugar de evolucionar positivamente hemos pasado al extremo opuesto en la actualidad: «fuera tarimas, fuera mesas... Aquí todos somos iguales: alumnos y profesores, todos colegas». Hemos vivido un tiempo en que algunos profesores han querido ser colegas de sus alumnos.

Este falso progresismo y liberalismo ha hecho mucho daño y ha provocado que surjan toda una serie de problemas y dificultades difíciles de resolver.

En su libro *Con ganas, ganas* Álvarez de Mon, apunta una idea muy interesante:

> De un paradigma educacional severo y firme, movidos por el subyugante efecto péndulo, hemos derivado hacia el pesimismo y la debilidad». Es decir, hemos pasado del «esto está prohibido o es obligatorio» al «prohibido prohibir» sin detenernos en un término medio.

Ejemplo. En ocasiones se da la circunstancia de que algún alumno molesta a sus compañeros porque no tiene ganas de estudiar e impide el funcionamiento normal de la clase. Expulsarle parece que está mal visto (ya que en raras ocasiones se hace: solo bajo circunstancias extremadamente graves). Siempre prioriza el «tienen derecho a la educación». Y yo me cuestiono, ¿tiene ese alumno más derecho que el resto? ¿Acaso no tienen derecho los demás a recibir la clase con normalidad? No es que esté a favor de la expulsión como método educativo, pero tendremos que establecer algún mecanismo que regule estos casos y haga comprender a un alumno que está haciéndolo mal y que eso tiene consecuencias, que no solo está en posesión de derechos, también de deberes. Dice Fernando Savater que «no se debe permitir que nadie boicotee esa tarea formativa, sea con arrogancia o por desidia», y añade: «no dejar nunca de educar a quienes lo quieren y requieren por hacer un favor a los que se niegan tozudamente a ello». Se puede decir más alto, pero no más claro.

El juez Emilio Calatayud incide muchísimo en que «tenemos complejo de joven democracia y por ello nos estamos resintiendo». Estoy muy de acuerdo con él sobre todo cuando afirma que «no nos atrevemos a llamar a las cosas por su nombre». Vivimos en una época en que todo es tabú y abusamos en exceso de los eufemismos para no ofender a nadie. Y así nos va.

En las aulas esto también está teniendo consecuencias. Veamos un ejemplo:

En el informe TALIS (Teaching and Learning International Survey) se destaca que «uno de cada cuatro profesores pierde al menos un 30% de las clases en tareas administrativas o en llamar la atención a los alumnos que continuamente interrumpen las clases. Los docentes españoles de secundaria están entre los más molestos con el ambiente de sus clases. En general, los profesores pierden un 13% del tiempo de clase manteniendo el orden. Por ejemplo en Brasil el porcentaje crece hasta el 17%. Sin embargo, en Bulgaria, Estonia, Lituania y Polonia la cifra baja a menos del 10%. Aquí en España el porcentaje se acerca a los más altos: el 16%». Considero que es un tiempo excesivo y que nos debe hacer reflexionar a todos para poder abordar este problema y lograr que el tiempo empleado en la acción educativa tenga mayor efectividad. Es aquí donde observamos con claridad que hemos sabido hacer una muy buena pedagogía de los derechos, pero no hemos sabido explicar muy bien que estos derechos llevan implícitos toda una serie de deberes y obligaciones. Ahí hemos fracasado y lo seguimos haciendo. Por este motivo tenemos que empezar a reivindicar una pedagogía de los deberes necesaria sin perder de vista, claro está, el marco de los derechos. No podemos dejar que nuestros hijos y alumnos crezcan con el convencimiento absoluto de que solamente tienen derechos. También tienen deberes y esto, o no se transmite o no se sabe transmitir.

Esta pedagogía que reivindico se debe poner en funcionamiento a nivel social: los padres, la escuela, los medios de comunicación, los políticos... Todos tenemos que ponernos las pilas para que el mensaje no se pierda por el camino.

Simplemente tenemos que observar la cantidad de denuncias que llegan anualmente a las fiscalías y juzgados de menores. Es tremendo. Muchos de estos menores están convencidos de que solamente son poseedores de derechos y que hay total impunidad ante las faltas que cometen. Y como están totalmente equivocados se lo tenemos que hacer ver. Aplaudo por ello la cantidad de sentencias educativas y ejemplares que el juez Emilio Calatayud impone a los menores, ya que es una manera pedagógica y educativa de recordarles que, además de derechos, tienen unas obligaciones que cumplir y que si han hecho un daño a la sociedad lo tienen que reparar. Quizás si promoviésemos esta pedagogía de los deberes no tendríamos que llegar a tales extremos. Es responsabilidad de toda la sociedad el que este tipo de educación tenga éxito porque esta falta de autoridad no solo está presente en la educación sino que estamos empapados de ella a nivel social: en los campos de fútbol, en los recintos de ocio, en el ámbito familiar, etc.

Los límites son necesarios para...

➤ Que el niño se sienta seguro y protegido.

➤ Ofrecerles una estructura sólida a la que aferrarse.

➤ Que el niño vea que los padres son fuertes y consistentes y se sienta mucho más inclinado a identificarse con ellos.

➤ Que le ayuden al niño a tener claros determinados criterios sobre las cosas.

➤ Enseñar al niño a que debe renunciar a veces, que debe aceptar el no y es una forma de enseñarle a enfrentarse luego a las frustraciones de la vida.

➤ Que el niño aprenda valores tales como el orden, el respeto o la tolerancia.

Necesitan oír un «no»

El «NO» ayuda a crecer y resulta necesario para enseñar determinados hábitos y también para evitar comportamientos peligrosos o indeseables. Los niños van a escuchar muchas veces en su vida la palabra «NO», y no únicamente de nosotros, sus padres. Por este motivo debemos enseñarles a afrontarlo desde que son pequeños pues es algo fundamental para su educación. El «NO» enseña...

➤ Que hay unos límites.

➤ Que los padres actuamos con firmeza.

➤ Autodisciplina.

➤ Aporta seguridad: el niño sabe qué esperamos de él en todo momento.

Normas justas y las justas

Muchos de los problemas que nos encontramos a la hora de educar a nuestros hijos (conflictos, dificultades, etc.) tendrían fácil solución si desde un principio supiésemos establecer unas normas claras y sencillas.

¿Qué son las normas?

Son pautas o reglas que establecemos los padres y que ayudan a nuestros hijos a orientarse en la vida, a distinguir lo que está bien de lo que está mal, entre lo que es peligroso y lo que no lo es. Y, aunque parezca contradictorio, las normas les ayudan a moverse con mayor libertad y sobre todo seguridad.

Es a los padres a quienes nos corresponde establecer estas normas, pero sin caer en el exceso (normativismo) ni tampoco en el defecto (permisividad). Los autores Pilar Guembe y Carlos Goñi destacan un principio básico que personalmente recomiendo: «Normas justas y las justas». Veamos el motivo:

1. Deben ser justas. Porque no se trata de imponer «porque sí», sino de establecer unas reglas que ayuden a nuestros hijos a CRECER y desarrollarse de una manera integral.

2. Las justas. Más vale que pongamos pocas normas y que se cumplan que muchas que no se cumplen porque es imposible hacerlo. Seamos realistas a la hora de ponerlas.

Además, muy importante: debemos ir adaptando las normas a la edad y periodo evolutivo del niño. Algunas se mantendrán pero otras irán cambiando. Algunas serán innegociables pero otras se podrán negociar y consensuar con nuestros hijos (sobre todo en determinadas etapas como, por ejemplo, la adolescencia.).

Hay que tener en cuenta que la gran mayoría de los adolescentes no aceptan un «no» de sus padres cuando quieren conseguir algo. Con el adolescente habrá ocasiones en que tendremos que negociar pero también hay que hacerle ver que hay cuestiones que son innegociables. Por este motivo es importante que existan unas normas. Recordemos cómo deben ser las mismas:

1. Pocas.
2. Claras y concretas: la ambigüedad conduce a malentendidos.
3. Apropiadas.
4. Sencillas y fáciles de entender.

En definitiva, han de ser justas y las justas. Y sobre todo especificar muy bien las consecuencias de su incumplimiento. Hay normas que son negociables y otras que no lo son, sobre todo aquellas que velan por la seguridad e integridad del menor. Por ejemplo: fumar o beber alcohol, tener tabaco en casa…

Los temas más destacados sobre los que debemos centrar las normas son:

➤ Los horarios: de salir y regresar a casa, de estudio, de levantarse, tiempo de ocio…

➤ La imagen: ropa, *piercings*, tatuajes...

➤ El tiempo de conexión a internet o el que están en contacto con «pantallas».

➤ Responsabilidades domésticas.

➤ La alimentación (también relacionado con la imagen).

➤ Comportamientos de riesgo: consumo de alcohol, tabaco u otras drogas.

Es normal que nuestro hijo adolescente quiera sobrepasar los límites. Es nuestra función como padres la de saber decir que no.

Educar teniendo en cuenta el «no» les ayudará a autocontrolarse y a tolerar la frustración, algo necesario para su crecimiento y madurez.

💡 **Consejo de experto** (por Sònia Cervantes)

En su libro Vivir con un adolescente Sònia nos ofrece las claves para instaurar o recuperar la autoridad en casa:

1. **Actitud paterna:**
   - Sois un equipo.
   - No os desautoricéis mutuamente.
   - Decidid conjuntamente el establecimiento de normas y límites.
   - No discutáis delante de los niños.

2. **Cómo ejercer la autoridad:**
   - Fomentar la participación y el diálogo.
   - Actitud firme y afectuosa.
   - Potenciar la autonomía de los hijos.
   - Sustentar los argumentos sobre valores y normas estables.
   - Educar con el ejemplo.

3. **Comportamientos a evitar:**
   - Utilizar el abuso de poder, el exceso de control y la violencia.
   - Ser injusto o poco equitativo.
   - Delegar en otros la labor de educar (escuela y otros).
   - Mostrar dudas e inseguridad.
   - Utilización de lenguaje despectivo y/o agresivo.

Educar la gratitud

Es importante saber que, como todo lo demás, la gratitud es un sentimiento que se desarrolla gracias a la educación que nuestros hijos reciben. Si quieres que tu hijo sea agradecido, comienza por dar ejemplo desde ahora mismo.

Vemos la gran importancia y necesidad de educar este sentimiento en nuestros hijos desde pequeños, ya que les va a ayudar a ser personas felices.

¿Se puede educar la gratitud?

Como cualquier otro sentimiento, la gratitud también se puede (y se debe) educar. Los padres tenemos que hacer lo posible para potenciarlo y educarlo, fomentándolo al máximo en nuestros hijos.

En un principio, como el resto de los sentimientos, la gratitud es muy inestable e intermitente y dependerá de si le gusta o no hacer algo o si lo hace para agradar al adulto. Si esto es así, no pasa absolutamente nada; los padres, con mucha paciencia y constancia, trabajaremos este sentimiento para que vaya quedando asentado y acabe formando parte de su personalidad de nuestros hijos, como una cualidad estable.

Podremos decir que ha quedado consolidado del todo cuando el niño sea capaz de comprender que, aunque no se le complazca en todo lo que hace o dice, lo hacemos por su bien. Antes de conseguir esto, podremos observar cómo la gratitud irá siempre de la mano de la gratificación positiva. Por eso es importantísimo que continuamente reconozcamos a nuestro hijo lo bien que hace las cosas, haciendo uso frecuente de los refuerzos positivos.

¿Qué podemos hacer? Tareas para los padres

En primer lugar es necesario señalar que vamos a educar este sentimiento (o el contrario) tanto por acción como por omisión, es decir, a través del ejemplo. ¿Cómo vamos a esperar que nuestros hijos agradezcan a los demás las cosas si nosotros somos los primeros que no lo hacemos?

Debemos abrir los ojos de nuestros hijos a través de nuestro ejemplo y hacerles ver que ser agradecidos no es simplemente pronunciar unas palabras de manera automática y mecánica. No basta con un simple «gracias» y ya está. La gratitud nace del corazón, de nuestro interior, del aprecio a lo que alguien hace por nosotros. Por eso, cuando alguien haga algo por nosotros, tenemos que mostrarles a nuestros hijos cómo actuamos nosotros para que también ellos empiecen a obrar de ese modo.

Errores comunes

Educar la gratitud no es nada sencillo. Necesitamos ser constantes y evitar cometer algunos errores que son bastante frecuentes. Veamos con detenimiento algunos de ellos:

> ➤ Restar importancia al sentimiento de gratitud cuando nuestros hijos son pequeños. Solemos decir: «total, nadie da las gracias por nada… ¿para qué se lo voy a enseñar?». A medida que crecen y llegan a la adolescencia decimos: «que desagradecidos son estos jóvenes de hoy en día». Entonces es cuando deberíamos preguntarnos con toda sinceridad ¿qué he hecho yo para que esto sea así?

> ➤ En ocasiones, tampoco sabemos aceptar el agradecimiento de nuestros hijos y les contestamos con un: «no es nada» o «no es necesario que me lo agradezcas». Al contrario, debemos estimularlo y decirle: «Muchas gracias a ti, hijo. Significa mucho para mí que estés agradecido».

> ➤ No siempre educamos dando buen ejemplo, ya que en ocasiones tampoco agradecemos a nuestros hijos lo que hacen por nosotros.

Quizá si todos nos aplicásemos a diario la siguiente máxima hebrea nos irían mejor las cosas y podríamos adecentar un poco este mundo:

El que da no debe volver a acordarse,
pero el que recibe nunca debe olvidar.

Claves para educar a un adolescente

Quizás un buen consejo sería que no olvidásemos que nosotros también fuimos adolescentes algún día. Por eso debemos preguntarnos ¿qué sentíamos?, ¿de qué forma veíamos a nuestros padres?, ¿qué relación teníamos con ellos? Es una buena forma de ponernos en su lugar y empatizar con ellos, algo que nos cuesta bastante. Si disfrutamos de ellos en la infancia no tenemos por qué dejar de hacerlo en la adolescencia. Estas son algunas de las claves:

- ➤ Es fundamental la comunicación: aprovecha cualquier momento para hablar con él sin forzar nada. Es muy importante también el lenguaje no verbal que empleamos.
- ➤ No etiquetes a tu hijo: no le ayudarán a promover un cambio positivo. Deja siempre una puerta abierta al cambio y mejora.
- ➤ Critica sus acciones, jamás a la persona.
- ➤ Muéstrale tu afecto, lo necesita aunque no lo parezca.
- ➤ La negociación es la llave maestra para «resolver conflictos».

Educación emocional en la adolescencia

El aprendizaje de la educación emocional se lleva a cabo a partir de la observación: nuestro hijo está pendiente de todo lo que hacemos y decimos.

Enseñamos estas emociones a través de la observación-imitación. Desde que en 1995 Daniel Goleman publicase el famoso libro *Inteligencia emocional*, este concepto ha ido adquiriendo una importancia notable, sobre todo en el mundo educativo. Podríamos definir la inteligencia emocional de la siguiente manera:

Es la habilidad para tomar conciencia
de las emociones propias o ajenas y
la capacidad para gestionarlas.

Para Goleman la inteligencia emocional consiste básicamente en:

➤ Conocer las propias emociones.

➤ Manejar las emociones.

➤ Motivarse a sí mismo.

➤ Reconocer las emociones de los demás.

➤ Establecer relaciones positivas con otras personas.

Debemos tener en cuenta que comprender nuestra dimensión emocional nos capacita para comprender a los demás. Llevar a cabo esta educación emocional ayudará a que tu hijo desarrolle una serie de capacidades personales y competencias tales como:

➤ Autoconocimiento.

➤ Autoestima.

➤ Empatía.

➤ Resolución de conflictos.

➤ Autonomía.

Es importante destacar que para que nuestro hijo desarrolle estas competencias emocionales es fundamental que los padres también las cultivemos. No podemos dar aquello que no tenemos. Si los padres no gestionamos nuestras emociones de manera efectiva no podremos enseñar a nuestros hijos a hacerlo. Como señala Laura Chica en su libro *¿Quién eres tú?*:[5]

> La mayoría de las dificultades que nos encontramos en nuestro desarrollo emocional es que no nos han enseñado a pensar sobre lo que sentimos o cómo se llama eso que sentimos. Ni siquiera nos han enseñado a sentir. Nuestra educación se ha centrado en el cerebro racional, olvidando casi por completo nuestro cerebro emocional.

El objetivo de la adolescencia es aprender a convertirse en adulto. Por este motivo el adolescente necesita más que nunca del apoyo de los que le rodean y de una buena educación emocional. Esto es importante ya que se trata de una etapa de gran inestabilidad emocional.

En esta etapa hay dos principales tareas: la formación de la identidad y el desarrollo de la autonomía. Vamos a verlas con detenimiento:

Formación de la identidad. Se refiere a la necesidad de explorar y responder a cuestiones como:

- ¿Quién soy yo?
- ¿Quién quiero ser?
- ¿En quién me fijo como modelo a seguir?
- ¿A quién quiero como amigo?
- ¿Qué cosas se me dan bien?

Desarrollo de la autonomía. Es el proceso de crear una distancia entre el adolescente y sus padres pasando a ser responsable de sí mismo. En este proceso el adolescente presenta sentimientos contradictorios (tristeza o euforia, miedo o ánimo…).

---

5. *¿Quién eres tú?*, Laura Chica, Ed. Alienta.

Tomando como referencia la mayoría de programas de ASE[6] (aprendizaje social y emocional) que se imparten en los centros educativos, podemos destacar estos 5 grupos básicos de competencias sociales y emocionales a trabajar con nuestros hijos adolescentes:

➤ Autoconciencia: valorar adecuadamente los propios sentimientos, intereses, valores y puntos fuertes; mantener un sentido bien fundamentado de autoconfianza.

➤ Autocontrol: regular las propias emociones para lidiar con el estrés, controlar los impulsos y perseverar a la hora de superar obstáculos; fijarse metas personales y académicas y asegurarse de cumplirlas; expresar adecuadamente las emociones.

➤ Conciencia social: ser capaz de ponerse en el lugar de otra persona y empatizar con los demás; reconocer y apreciar similitudes y diferencias individuales y de grupo; reconocer y utilizar los recursos familiares, escolares y comunitarios.

➤ Habilidades de relación: establecer y mantener relaciones saludables y gratificantes basadas en la cooperación; resistir la presión social perjudicial; prevenir, gestionar y resolver los conflictos interpersonales; pedir ayuda cuando sea necesario.

➤ Toma de decisiones responsable: tomar decisiones teniendo en cuenta las normas éticas, los problemas de seguridad, las normas sociales adecuadas, el respeto por los demás y las posibles consecuencias de cualquier acción; aplicar habilidades de toma de decisiones a las situaciones académicas y sociales; contribuir al bienestar del centro educativo y la comunidad a la que se pertenece (O´Brien, Resnik, 2009).

---

6. «La experiencia de la educación emocional en los centros de Nueva York», Linda Lantiera y Madhavi Nambiar. «La inteligencia emocional en la infancia y la adolescencia». *Cuadernos Faros del Hospital Sant Joan de Déu.*

> *«El trabajo de este aprendizaje emocional y social en
> secundaria contribuye de alguna manera a mejorar el
> comportamiento y la asistencia escolar, y a promover la
> diversidad y erradicar el bullying, la violencia y el racismo»*

En esta etapa es importante seguir educando en la empatía, en saber ponerse en el lugar del otro, en la sensibilidad, en perdonar y que el adolescente aprenda a ponerse en el lugar de los demás. Como afirma Ferran Salmurri:

> La empatía se mejora pensando y hablando de sentimientos y emociones, positivos y negativos, presentes, pasados o futuros, en primera, segunda o tercera persona.

Nuestro papel aquí es fundamental: enseñamos y fomentamos la empatía en nuestro hijo a partir de nuestro propio comportamiento.

La práctica de la empatía nos ayuda a ser más felices.

FERRAN SALMURRI

Consecuencias de practicar la empatía

Ser empáticos nos ayuda a progresar y mejorar como personas, facilitándonos la relación con los demás. Practicar la empatía nos ayuda a:

- ➤ Tener un mayor respeto por los demás.
- ➤ Mejorar la escucha activa (nos preocupamos más por escuchar que por lo que queremos decir).
- ➤ Aumenta la confianza en nosotros mismos y los demás.
- ➤ Nos ayuda a gestionar emociones como la rabia, la ira, etc.

➤ Nos facilita la compresión del comportamiento de los demás.

➤ Nos ayuda a establecer relaciones sanas.

Los adolescentes ante el divorcio

No hay duda de que en la actualidad los padres se divorcian o separan mucho más que en tiempos pasados. ¿Qué consecuencias tiene esto en nuestros hijos adolescentes? La Academia Americana de Pediatría lo resume de la siguiente manera:[7]

> Los adolescentes pueden sentir menos autoestima y desarrollar una autonomía emocional prematura para manejar sus sentimientos negativos sobre el divorcio y la pérdida de la imagen ideal de ambos padres. Su rabia y confusión conduce frecuentemente al abuso de sustancias, menor rendimiento escolar, conducta sexual inapropiada, depresión, agresividad y gamberrismo.
>
> A todas las edades, los niños pueden tener síntomas psicosomáticos como respuesta a la rabia, la pérdida, el duelo, el no sentirse amados y otros factores estresantes. Pueden intentar manipular a un padre contra el otro porque necesitan sentir que tienen control y poner a prueba las reglas y los límites. Sin embargo, tienden a sentirse culpables y responsables de la separación y a creer que deben intentar reparar el matrimonio.

Evitar que sea doloroso

Si a pesar de nuestra buena voluntad se produce el divorcio o separación debemos evitar que sea lo menos doloroso posible para nuestros hijos. Si queremos ayudar a nuestros hijos debemos:

---

7. *Creciendo juntos*, Carlos González, Ed. Temas de hoy.

➤ Explicarles muy bien que no tienen ninguna culpa de nuestra separación.

➤ No manipular a nuestros hijos para ponerlos en contra del otro cónyuge.

➤ Evitar al máximo el SAP (Síndrome de Alienación Parental).

➤ No comprar el afecto del menor.

#Leído en internet

Nuestros hijos son como un copo de nieve: todos son la suma de una partícula de polvo y una gota de agua que se congela y comienza su viaje al suelo.

El diseño de los cristales dependerá de las condiciones atmosféticas y por eso nunca habrá dos iguales

(Playground)

ESTOY EN EDAD

DE TROPEZAR, DE PERDER, DE FRACASAR,

DE HERIR, DE ENGAÑAR,

DE HUMILLAR, DOMINAR, VACILAR, DESORDENAR, ERRAR,

PERO SÉ QUE PUEDO APRENDER

DESCUBRIR, SOÑAR, AMAR, CREER, IMAGINAR

AVANZAR Y RESPETAR

DISFRUTAR, VENCER, CAMINAR, PROGRESAR Y LO SÉ, PORQUE

ESTOY EN EDAD
DE CAMBIAR

#4 citas en las que inspirarte

1. *La felicidad del adolescente solo se consigue en la medida en que se desarrolla su personalidad. Ir madurando es ir conociendo y aprovechando lo mejor de su personalidad.*
   FERNANDO ALBERCA

2. *Para comenzar, como padre, tienes que quitarte de la cabeza la idea de que es imposible vivir, hablar y llevarse bien con un adolescente.*
   BEGOÑA DEL PUEYO y ROSA SUÁREZ

3. *Los primeros cuarenta años de la adolescencia son los más difíciles.*
   ANTOINE DE SAINT-EXUPÉRY

4. *La mayoría de los padres están dispuestos a hacer cualquier cosa por sus hijos, menos dejarles ser ellos mismos.*
   BANKSY

3

El adolescente y su tiempo libre

Ser adolescentes es aquello que nos convierte en seres humanos.

DAVID BAINBRIDGE

El adolescente debe aprender a ocupar su tiempo libre o de ocio. Si queremos que nuestros hijos practiquen actividades en familia, deberemos ofrecerles propuestas atractivas, ya que a estas edades preferirán estar con su grupo de amigos. Según el INJUVE (Instituto de la Juventud), disponen de más de veinte horas de tiempo libre que destinan preferentemente a:

- ➤ Escuchar música.
- ➤ Reunirse con amigos.
- ➤ Salir de noche.
- ➤ Ver la televisión.
- ➤ Oír la radio.

El ocio es algo que se aprende a disfrutar y somos los padres los que debemos ofrecer a nuestros hijos propuestas que sean atractivas para que aprendan a llenar su tiempo libre de manera enriquecedora: realizar excursiones, practicar deportes en familia, juegos de mesa... Lo importante es que aprendamos a conectar con sus intereses.

No quieren venir con nosotros de vacaciones

A muchos padres les resulta difícil aceptar que sus hijos ya no quieran veranear con ellos. Debido a que en la actualidad se ha producido un adelanto en la llegada de la adolescencia, el temido momento aparece cada vez a una edad más temprana y puede provocar conflictos dentro de la familia.

Lo fundamental es tener en cuenta la edad del niño y asumirlo con total naturalidad. Detectamos que sucede cada vez más pronto (hacia los 12-13 años) y hay que asumirlo como un proceso dentro del camino hacia la independencia del adolescente. Hay que detectar las señales de independencia que envía (un día no quiere ir al cine con sus padres o a visitar a un familiar), poner límites y resolver el conflicto con estrategias. Es un buen momento para analizar las características del niño y comprobar si es maduro y autosuficiente, así como su comportamiento en el colegio, en casa, con los amigos...

¿Qué hacer si los hijos no quieren veranear con los padres?

Ante esta pregunta lo más recomendable es mantener la calma y asumir que los hijos van creciendo y sus necesidades van cambiando. Propongo como solución preparar unas vacaciones que resulten atractivas, donde primen los intereses de toda la familia para otorgar a cada miembro su espacio. Lo mejor es no obligar y esforzarse en convencer. Una buena idea es preparar unas vacaciones diferentes. Invitar a un amigo del niño unos días puede resultar una muy buena idea.

En todo caso es necesario hacer comprender a los niños que los que imponen los límites son los padres. Un buen método para darles confianza es comenzar por pequeños pasos en los que puedan demostrar que son responsables. Hay que educarles para que gestionen el tiempo libre. Los 16 años es un buen momento para ir cediendo de un modo progresivo; dejarles un fin de semana y ver si están preparados y demuestran madurez. En el caso de que no sea así, hacerles ver que solo si son responsables los padres irán aumentando su autonomía.

Es un error muy común entre los padres considerar que el ocio que planeaban cuando los niños eran pequeños sigue siendo una opción apetecible y, por ello, no se adaptan a los gustos de sus hijos. Conviene ceder y que los planes sean interesantes para todos; una buena idea es dividir el tiempo para que cada miembro de la familia proponga qué hacer en unos días determinados.

Es necesario ponerse en la piel de los hijos

Si a pesar de las propuestas los adolescentes siguen insistiendo, una solución puede ser dejarles con otros miembros de la familia y ver de qué forma responden. Es buena una desconexión entre padres e hijos. Hay que dejarles crecer y aceptar que un día se irán de casa. Los padres deben asumir este crecimiento y no generar conflictos ante un proceso natural. El otro extremo es el síndrome del «eterno adolescente», donde la sobreprotección y comodidad que ofrecen los padres no le invitan a irse de casa…

Una buena manera de entender las demandas de los hijos es ponerse en su piel y alcanzar un equilibrio. Esforzarse por encontrar planes donde toda la familia se encuentre a gusto y acordar unas vacaciones donde haya sitio para compartir tiempo también con los amigos son el secreto para que, aunque los hijos crezcan, no rechacen el tiempo de descanso en familia y lo disfruten.

El consejo principal que doy sobre las vacaciones de verano a las madres y los padres que asisten a mis formaciones es que debemos aprovechar al máximo el tiempo para estar con nuestros hijos y poder disfrutar de ellos (y con ellos). Por eso es tan importante una buena organización y planificación. Veamos algunas sencillas recomendaciones:

➤ **Planificación:**

No podemos dejarlo todo a la improvisación. Debemos estudiar qué actividades podemos realizar y organizarlas con tiempo. Nuestros hijos llevarán a cabo diferentes actividades: lectura, salidas, piscina, playa, visitas culturales, cine, televisión…

➤ **Tiempo:**

Que estemos en vacaciones no significa que la televisión, el móvil o internet ocupe la mayor parte del tiempo de nuestros hijos. Debemos limitar el tiempo de estas actividades para que no se conviertan en el centro de atención del niño.

➤ **Horario:**

Es bueno que organicemos y elaboremos un horario con las diferentes actividades que vamos a realizar. Se trata de un horario más flexible que el que seguimos durante el curso pero también es muy importante que sea realista y lo cumplan. Que estén de vacaciones no significa que tengan que estar sin hacer absolutamente nada. Elaboraremos este horario en función de los intereses, aficiones y edad del niño.

➤ **Tiempo para estar con los amigos:**

Es momento para disfrutar y pasar tiempo con los amigos. Tiempo que muchas veces no tienen durante el curso escolar pues van sobrecargados de deberes, tareas y actividades extraescolares.

En función de la edad pueden ayudar en la planificación de las vacaciones.

El grupo de amigos

En los anteriores libros de la colección te he hablado de la importancia de que nuestro hijo haga amigos y se socialice. Pues bien, en la adolescencia este aspecto es todavía más importante. Como se desprende de la *Guía para convivir con adolescentes*[8] de Marisa Magaña, estos son algunos de los beneficios que aportan los amigos al adolescente:

➤ El adolescente experimenta intensamente y con plena conciencia lo que significa una relación recíproca en la que el otro es como él.

➤ Necesita ir desvinculándose de la fuerte influencia que durante la infancia han estado ejerciendo sobre él sus padres. Este hecho evolutivo puede representar para el adolescente una pérdida, un vacío emocional que, sin duda alguna, ayudará a llenar su grupo de amigos.

➤ El grupo ejerce un efecto terapéutico sobre el adolescente. Como si se tratara de un grupo de ayuda mutua, cada uno de los chicos que lo forman comparte con el resto las dificultades que experimentan en relación con sus padres, sus angustias y discusiones comunes por la restricción de horarios de vuelta a casa o de asignación semanal.

---

8. *Cómo convivir con adolescentes*, Marisa Magaña, Dirección General de Familia. Comunidad de Madrid.

La doctora Iroise Dumontheil señala algo que es de especial importancia:

> Los adolescentes activan el córtex prefontal medio, llamado cerebro social, más que los adultos.

De hecho, destaca reacciones cerebrales específicas en los adolescentes cuando se sienten premiados o estimulados y ante la influencia de iguales.

Características del grupo de amigos entre los 14 y los 16 años

- ➤ Se forman grupos mixtos de chicos y chicas.
- ➤ Se valora mucho la figura del líder del grupo (también la influencia del más popular).
- ➤ Adquieren una importancia especial valores como la confianza y la lealtad (ser legales).
- ➤ Se identifican entre ellos.
- ➤ Las chicas se cuentan entre ellas sus confidencias, miedos, expresan sus sentimientos…
- ➤ Surgen las primeras relaciones de pareja.
- ➤ Miedo a ser rechazados por el grupo.

Nuestro hijo ha de pasar por esta etapa de pertenencia al grupo donde se vuelve influenciable por el mismo. Debemos educarle para que sea independiente a la presión del grupo y capaz de ser asertivo para saber decir que no.

Es importante que conozcas a sus amigos, invitarlos a casa. Te aportarán mucha información sobre cómo son en realidad. Además también es recomendable que conozcamos y tengamos contacto directo con los padres de sus amigos.

En muchas ocasiones deberemos reservarnos nuestra opinión acerca de los amigos, pero en aquellos casos en que las amistades sean claramente perjudiciales debemos dialogar con él e intentar mostrarle la no conveniencia de una relación para que desista de ella.

A pesar de lo expuesto en este apartado no debemos de olvidar que los padres somos insustituibles.

Horarios: ¡quiere llegar más tarde!

En esta etapa de descubrimientos, el adolescente va a querer retrasar la hora de llegada a casa cada vez más. Aquí debemos poner en marcha nuestro *sentido común* y explicarle que esto lo abordaremos en función de si cumple o no con sus responsabilidades. Te ayudará:

➤ Mantener el contacto con otros padres para establecer esos límites de llegada a casa.

➤ Hacerle entender que a algunos les dejan llegar **más tarde** y a otros no: en cada casa hay unas normas distintas.

➤ Negociar que sea él quien ponga la hora de regreso (si es razonable) y se responsabilice de su cumplimiento. Si no la cumple tendrá que asumir las consecuencias.

Educar conlleva asumir riesgos,
dar autonomía y corresponsabilizarse.

Javier Urra

💡 **Consejo de experto** (por por Ángel Peralbo)[9]

Pasos adecuados para pactar con los adolescentes:

- Haber sido capaces de mantenerse firmes en la preadolescencia, dando directrices para que los adolescentes se vayan acostumbrando a ver al adulto como el que tiene la última palabra.

- Desarrollar una adecuada capacidad de escucha activa, sin interrumpirles y demostrándoles en todo momento que su opinión es importante. Que no se esté de acuerdo con ellos no significa que no se les pueda transmitir que su opinión siempre interesa.

- Mantener la calma con el fin de que no se disparen y pierdan el control, o si lo hacen, que se puedan tranquilizar lo antes posible.

- No actuar en espejo ni ponerse a su altura en lo que a emociones negativas se refiere.

- Diferenciar muy bien entre cuestiones y normas que no se negocian porque se consideran inamovibles –como puede ser el consumo de drogas– de otras que puedan aceptarse –como volver a determinada hora o ir a un sitio concreto–. Ir cediendo en algunas cosas facilita que entiendan que se pueda pactar.

- Argumentar en la medida que se pueda, pero evitar las conversaciones interminables y sobre todo en los momentos en los que pueda haber crispación. No se llegaría a ningún acuerdo y se correría el riesgo de entrar en un conflicto nada deseable.

---

9. *De niñas a malotas*, Ángel Peralbo, Ed. La Esfera de los Libros.

#Leído en internet

10 Recetas para convivir con un adolescente

1. Reglas claras y concisas.
2. Comunicar sin culpabilizar.
3. Ambiente familiar acogedor.
4. Valorar a tu hijo adolescente.
5. Identificar señales de alarma.
6. Aceptar las limitaciones del adolescente.
7. Saber negociar.
8. Castigar con cordura.
9. Razonar las normas.
10. Admitir errores.

Te quejas de que estoy siempre encerrado en mi cuarto pero dime, ¿para qué voy a salir? Estás siempre enfafado, trabajando o quejándote de todo. Vas a todas partes con prisas y cuando trato de hablar contigo acabamos gritándonos. En mi cuarto estoy mucho mejor. ¡y que no se te ocurra entrar!

#4 citas en las que inspirarte

1. *El ocio es tan importante en la vida de nuestros hijos como cualquier otro de los valores sobre los que debemos orientarles.*
   BEGOÑA DEL PUEYO Y ROSA SUÁREZ

2. *La principal tarea de los padres es hacer que su hijo se descubra como persona.*
   FERNANDO ALBERCA

3. *La adolescencia es el conjugador de la infancia y la adultez.*
   LOUISE J. KAPLAN

4. *El adolescente se desprende de normas, cambia de pensamientos y creencias, aprende a ser él mismo.*
   JAVIER URRA

4

Primeros contactos con las drogas

Los buenos hábitos formados en la juventud marcan
toda la diferencia

Aristóteles

A estas edades se suele producir el primer contacto de muchos adolescentes con las drogas. Por lo general adoptan inicialmente –entre los 12 y los 13 años– una actitud de rechazo, pero en los años siguientes esta aversión suele transformarse en curiosidad y en fantasear con respecto a sus efectos. La guía ¿Qué les digo?, elaborada por la FAD (Fundación de Ayuda contra la Drogadicción), proporciona orientaciones para que abordemos en familia el problema de consumo de drogas y favorecer una educación basada en la comunicación y el diálogo.

Veamos algunos de estos consejos:

> Las drogas son para los adolescentes una realidad más de su vida y el enfrentamiento con las drogas es una parte más de su crecimiento. No hay que olvidar que los primeros consumos suelen tener un carácter experimental.

> Si se cree que pueden consumir drogas, se debe afrontar la situación con prudencia y si se ve que el consumo es muy problemático hay que buscar ayuda y tratamiento.

Debemos recordar que...

> **Forzar el diálogo** con preguntas directas puede ser contraproducente.

> **Las preguntas no son «abrelatas».** Si nuestro hijo no quiere hablar, no hablará.

> **Que los hijos se callen** no quiere decir que tengan algo que ocultar.

> **Debemos procurar** que nuestro hijo no se sienta amenazado u obligado.

> **Hay que respetar la intimidad** de los hijos. Hay temas que prefieren no comentar con nosotros, y no debemos obligarles a ello.

> **Las drogas no son ajenas a ningún adolescente.** Aunque ellos permanezcan al margen, en su entorno social el consumo de drogas es una realidad cotidiana. Por tanto, el diálogo sobre este tema es de suma importancia.

> **No saber sobre drogas no es excusa** para evitar el contacto comunicativo con los hijos sobre el tema.

> **Confesar nuestras flaquezas** en el tema de las drogas –alcohol, tabaco, tranquilizantes, estimulantes– y en el de hábitos saludables –ejercicio, alimentación y deporte–, los hijos se sentirán más comprendidos.

> **Los fracasos** en el intento por abrir el diálogo sobre drogas no son un obstáculo insalvable, sino un reto que se ha de superar.

> **Se escuche lo que se escuche, no hay que escandalizarse.** La actitud adecuada es la de búsqueda conjunta de soluciones.

> **Nunca es tarde** para iniciar un estilo de relación abierta, dialogante y receptiva.

El alcohol y el tabaco siguen siendo las sustancias más consumidas –seguidas del cannabis– entre jóvenes de entre 14 y 16 años. Ha habido un aumento de consumo de cannabis y de cocaína, cuyo consumo habitual es del 3,1% entre jóvenes de 16 a 18 años.

Debemos tener en cuenta que:

> Nuestros hijos viven en un mundo donde muchos de sus compañeros consumen algún tipo de droga (legal o ilegal).

> Algunos de nuestros hijos quizá hayan probado algunas drogas.

> En la mayoría de casos se trata de consumos experimentales y esporádicos.

> Es muy importante hablar con ellos sobre estas cuestiones.

Causas principales del consumo de drogas

Entre las causas más comunes del consumo de drogas entre adolescentes se encuentran, entre otras, las siguientes:

> Necesidad de verse aceptado por el grupo.

> Experimentación, satisfacer la curiosidad.

> ➤ Un mal o bajo concepto de sí mismo.

> ➤ Baja tolerancia a la frustración.

> ➤ Deseo de experimentar vivencias emocionantes o peligrosas.

> ➤ Deseo de placer y satisfacción inmediata.

> ➤ Demostrar independencia.

> ➤ Influencia de otras personas consumidoras que sirven como modelos de conducta.

> ➤ Sistema de escape: una forma de evadirse de los problemas.

Nuestros adolescentes deben aprender a resolver los problemas sin la necesidad de apoyarse en las drogas.

Como señalan Begoña del Pueyo y Rosa Suárez en su libro *La buena adolescencia*, debemos tener en cuenta que:

> ➤ Las prohibiciones y amenazas provocan enfrentamientos.

> ➤ Los juicios morales del tipo «esto es bueno, esto es malo» no conectan con los adolescentes.

> ➤ Desde la preocupación y el deseo de lo mejor para él, puedes alcanzar la fibra sensible y conseguir hacerle reflexionar si consumir o no o en qué situaciones.

Creo que realmente se trata de eso: de tocar la fibra sensible de nuestro hijo más que de intentar convencerle ya que con ello podemos conseguir el efecto contrario…

Hay cosas que podrían ayudar a los adolescentes ante las drogas y que dependen de la sociedad y del entorno en que vivimos: la eliminación de la publicidad de bebidas alcohólicas, cumplir con las leyes que prohíben la venta de alcohol a menores y un largo etcétera.

Destaco otros factores que dependen del adolescente (y de la educación que le ofrecemos los padres):

➤ Educar en valores (sobre todo el de la responsabilidad).

➤ Fomentar la autoestima.

➤ Desarrollo de sus habilidades sociales.

➤ Vivir alejado de las drogas.

➤ Fomentar actividades de ocio y tiempo libre alejadas de ambientes «tóxicos».

¿Qué drogas consumen los jóvenes?[10]

1. ALCOHOL

Es una droga depresora del sistema nervioso central que inhibe de manera progresiva las funciones cerebrales. Afecta a la capacidad de autocontrol, produciendo inicialmente euforia y desinhibición, por lo que puede confundirse con estimulante.

Su principal componente es el etanol o alcohol etílico. Efectos que produce después de haber bebido:

➤ Desinhibición.

➤ Euforia.

➤ Relajación.

➤ Aumento de sociabilidad.

➤ Dificultad para hablar.

➤ Dificultad para asociar ideas.

➤ Descoordinación motora.

---

10. *Guía sobre drogas*, Ministerio de Sanidad y Consumo. Delegación del Gobierno para el Plan Nacional sobre Drogas.

Riesgos derivados del abuso de alcohol:

> Intoxicación etílica.

> Favorece conductas de riesgo.

A largo plazo:

> Hipertensión arterial.

> Cardiopatías.

> Cáncer.

> Demencia.

> Depresión.

2. TABACO

Se trata de una droga legal. Uno de sus componentes, la nicotina, posee una enorme capacidad adictiva, y es la causa por la que su consumo produce dependencia.

El tabaco produce algunas alteraciones poco deseables como:

> Arrugas prematuras en la zona del labio superior, alrededor de los ojos, etc.

> Manchas en los dientes, infecciones y caries dentales.

> Mal aliento y mal olor corporal por impregnación del olor del tabaco.

> Manchas amarillentas en uñas y dedos.

Entre las enfermedades relacionadas con el tabaco destacan:

> Bronquitis crónica.

> Enfisema pulmonar.

> Cáncer de pulmón.

- ➤ Enfermedad coronaria.
- ➤ Cáncer de laringe.

Frente al tabaco…

- ➤ Eliminemos mitos.
- ➤ Mejor si los padres no fuman (ejemplo).
- ➤ Prohibición de fumar en el hogar.

3. CANNABIS

Es una de las drogas ilegales más consumidas en nuestro país. Sus efectos sobre el cerebro son debidos precisamente a uno de sus principios activos, el Tetrahidrocannabinol o THC. Puede consumirse en un cigarrillo liado con tabaco: *porro, canuto, peta…*

Efectos tras el consumo:

- ➤ Relajación, somnolencia…
- ➤ Desinhibición, alegría desmedida, enrojecimiento ocular.
- ➤ Aumento del ritmo cardíaco.
- ➤ Percepción distorsionada.
- ➤ Dificultad para pensar.
- ➤ Dificultad de coordinación.

A largo plazo:

- ➤ Problemas de memoria y aprendizaje.
- ➤ Peores resultados académicos. Abandono prematuro de estudios.
- ➤ Dependencia.
- ➤ Trastornos emocionales.

➤ Enfermedades bronco-pulmonares y determinados tipos de cáncer.

➤ Psicosis y esquizofrenia.

Síntomas de abuso o dependencia de cannabis:

➤ Abandono del grupo de amigos no consumidores.

➤ Preocupación por disponer de cannabis.

➤ Uso compulsivo de cannabis.

➤ Problemas de rendimiento escolar o laboral.

➤ Irritabilidad, agresividad, dificultades para dormir…

4. COCAÍNA

Es un potente estimulante del sistema nervioso central y una de las drogas más adictivas y peligrosas.

Efectos inmediatos en el organismo:

➤ Estado de excitación motora.

➤ Cambios emocionales variados.

➤ Aumento inicial de la capacidad de atención y concentración (falsa sensación de agudeza mental).

➤ Aumento de las frecuencias cardíaca y respiratoria así como de la tensión arterial.

➤ Dilatación de pupilas.

➤ Aumento temperatura corporal.

Riesgos a medio y largo plazo:

➤ Adicción.

➤ Alteraciones cardiovasculares y neurológicas: infarto de miocardio, trombosis cerebrales…

- ➤ Alteraciones estado de ánimo: depresión, irritabilidad, ansiedad, agresividad…
- ➤ Insomnio.
- ➤ Paranoia
- ➤ Infertilidad, impotencia…
- ➤ Alucinaciones y psicosis.

Los riesgos y la posibilidad de generar dependencia son mayores cuanto menor es la edad de la persona consumidora.

5. DROGAS DE SÍNTESIS

Es el nombre por el que se conoce un amplio grupo de sustancias producidas por síntesis química entre las que cabe destacar el éxtasis, la ketamina, el PCP o «polvo de ángel».

Contienen distintos derivados anfetamínicos o de otras sustancias que poseen efectos estimulantes y/o alucinógenos de intensidad variable, y se pueden encontrar en el mercado en diversas formas: pastillas, cápsulas, polvo, líquidos…

En el caso del ÉXTASIS, su asociación con una gran actividad física, como bailar durante horas, puede dar lugar al *golpe de calor*, que consiste en un aumento de la temperatura corporal que puede provocar un fallo renal.

A largo plazo provoca depresión, ansiedad, ataques de pánico, agresividad, alucinaciones visuales o auditivas…

6. ALUCINÓGENOS, OPIÁCEOS

El más consumido es la dieltilamida del ácido lisérgico LSD (conocida como «ácido» o «tripi»). Se consume por vía oral en diversas formas. Efectos de esta droga: alteración de la percepción, hipersensibilidad sensorial, deformación de la percepción del tiempo y del espacio, alucinaciones, ideas delirantes, euforia, hiperactividad…

Consecuencias de su consumo:

➤ Reacciones de pánico (mal viaje).

➤ Reacciones psicóticas.

➤ Intentos de suicidio.

Síntomas del consumo de drogas

Principalmente puedes guiarte por tu intuición, aunque en ocasiones somos los padres los últimos en enterarnos de que nuestro hijo consume drogas. Estos son algunos síntomas o indicios que te pueden hacer sospechar:

➤ **Cambios fisiológicos:** descuido del aseo personal, olor a tabaco o a alcohol, pupilas dilatadas en exceso, enrojecimiento o hinchazón de ojos, etc.

➤ **Cambios emocionales:** irritabilidad, agresividad y continuas faltas de respeto, aislamiento.

➤ **Cambios comportamentales:** reacciones lentas, cambios en los hábitos de alimentación, alteración en los hábitos de sueño, desorden de horarios, no colabora en tareas de casa ni tampoco realiza las del instituto (se encuentra desmotivado y su rendimiento baja).

Si llega a casa bajo los efectos del alcohol u otra sustancia lo mejor es dejarle que se acueste ya que no está en plenas facultades para entender el mensaje que le quieres transmitir. Al día siguiente hay que sentarse a hablar con él sin acusar ni buscar culpables de la situación, simplemente exponiendo los hechos de lo ocurrido. Transmítele claramente qué piensas sobre ello y que las drogas le perjudican.

Teléfonos de ayuda

La FAD (Fundación de Ayuda contra la Drogadicción) pone a tu servicio dos números de teléfono de gran interés:

Si tú, algún compañero, amigo o conocido tiene problemas con las drogas o simplemente quiere información, puede llamar a este teléfono:

900 16 15 15

Es un servicio de información gratuito, confidencial y anónimo y funciona de lunes a viernes de 9 a 21 horas: Puedes solicitar información sobre:

> ➤ Sustancias.

> ➤ Recursos asistenciales.

> ➤ Pautas de actuación para la prevención de consumos o problemas derivados del mismo.

Si necesitas asesoramiento sobre pautas de actuación específicas para tu familia, puedes llamar a este teléfono:

900 22 22 29

Atendido por un equipo de especialistas en prevención y orientación familiar, se trata de un servicio gratuito y confidencial, en el que podrás encontrar un asesoramiento personalizado y particular para tus dudas sobre cómo manejar adecuadamente situaciones y problemas surgidos en tus relaciones familiares.

Hablar de las drogas

Los padres debemos ofrecer a nuestros hijos información sobre la realidad de las drogas: hay que prevenir y explicar las consecuencias reales del consumo de drogas. Si no les ofrecemos no-sotros esa información la buscarán en otro sitio: amigos, en la web, etc. Mejor hacerlo nosotros que dejarlo en manos de «otros». El objetivo de esta información debe ser:

a) Para que no se inicie en el consumo.

b) Para que deje de consumirla si ya lo está haciendo.

Para una buena prevención se precisa de:

> Normas claras.

> Ejemplo positivo por parte de los adultos.

> Ocio sano (actividades deportivas, al aire libre, etc.).

Ejemplo. Javier Urra señala que solo el 52% de los pa-dres hablan con sus hijos del tema del alcohol. Ser padres muy permisivos o muy autoritarios hace a los hijos más proclives al abuso en el consumo de alcohol.

¿Qué debe saber nuestro hijo adolescente sobre drogas?

Hemos de ser realistas al ofrecerle esta información. Algunos ejemplos:

> La satisfacción que nos produce el consumo de drogas es pasajera y se paga un alto precio por ella.

> Es una de las principales causas de muerte en la adoles-cencia.

> Salir de las drogas es muy difícil y costoso.

> Las drogas generan dependencia (a todos los niveles).

Pero más que consejos e información lo más importante es que demos buen ejemplo. Me gusta cómo lo explica Carlos González en su libro *Creciendo juntos*, donde cita un estudio sobre adolescentes de 12 a 16 años en el que destaca que el hecho de que uno de los padres consuma alcohol o tabaco duplica el riesgo de que el hijo haga lo mismo. Lo explica así de bien:

> ¿Por qué no empieza a dar buen ejemplo? No le pido ninguna heroicidad, no hace falta que se enfrente solo contra la mafia ni que monte patrullas ciudadanas para expulsar del barrio a los camellos. Solo que deje de fumar y de beber (o que al menos restrinja al máximo).

Sencillo, ¿verdad? Pero qué difícil es empezar por un mismo… Ahí está la clave.

Trastornos de la alimentación: el poder de la imagen

ANOREXIA

La anorexia es un trastorno de la alimentación que induce a una pérdida excesiva de peso. Tiene un trasfondo psicológico: La persona puede verse gorda o desproporcionada a pesar de tener un peso por debajo de lo que se considera normal. Es mucho mejor prevenirla que tratarla y para ello debemos inculcar a nuestros hijos desde que son pequeños una buena relación con la alimentación y su higiene y estabilidad emocional.

Las personas que padecen anorexia nerviosa sienten un miedo intenso a aumentar de peso o engordar, y están excesivamente preocupadas por su silueta. Como consecuencia, presentan conductas anómalas en cuanto a la alimentación, el peso y la silueta.

En el caso de las adolescentes hay una proporción 9 a 1 de chicas afectadas en relación con los varones. Veamos algunos de los síntomas:

> ➤ Temor a volverse obeso (en una persona delgada).

> ➤ Percepción distorsionada y delirante del propio cuerpo (aun cuando su peso sea el recomendado para su edad).

> ➤ La ausencia de tres ciclos menstruales consecutivos en las adolescentes (amenorrea).

> ➤ Actividad física exagerada.

Según señala Javier Urra:

> El tratamiento de la anorexia nerviosa ha de ser precoz e intenso. Sesiones de terapia familiar, medicación antidepresiva y condicionamiento de la conducta alimentaria.

BULIMIA

La bulimia nerviosa es un trastorno de la conducta alimentaria que se caracteriza por episodios de atracones (ingesta voraz e incontrolada), en los que se ingiere una gran cantidad de alimento en poco espacio de tiempo y generalmente en secreto. Las personas afectadas intentan compensar los efectos de la sobreingesta mediante vómitos autoinducidos y otras maniobras de purga o aumento de la actividad física.

Muestran preocupación enfermiza por la silueta y el peso, pero no se producen necesariamente alteraciones en el peso, ya que tanto pueden presentar peso normal, como bajo peso o sobrepeso. La bulimia nerviosa suele ser un trastorno oculto, fácilmente pasa desapercibido, y se vive con sentimientos de vergüenza y culpa.

El lado oscuro de la blogosfera

Leonardo Cervera en su libro *Lo que hacen tus hijos en internet* nos habla del lado oscuro de la blogosfera que está relacionado con lo que acabo de mencionar. Lo constituyen los blogs de los bulímicos y anoréxicos, donde los adolescentes se animan unos a otros a no comer, ignorar las presiones de los padres y a permanecer delgados. El autor menciona blogs que llevan por título «Estoy gorda. Tú estás gorda», «Vamos a pasar hambre» o «Alicia en el país de los hambrientos».

Se denominan webs o blogs 'Pro-Ana' y 'Pro-Mía' y ofrecen consejos, dietas o ejercicios –algunos muy extremos– con los que perder peso rápidamente. Veamos algunos ejemplos:

> «Porque la comida es como el arte, existe sólo para mirarla».

> «Si algo se te antoja y no te puedes resistir, mastícalo y luego escúpelo».

> «Come hielo si sientes mucha hambre».

> «Si quieres comer, coge fotos de gente que admiras por estar delgada y mírate en el espejo, compárate, busca siete errores en tu cuerpo».

Si en algún momento detectas que tus hijos frecuentan esta tipo de blogs o forman parte de estas comunidades debes intervenir de manera contundente solicitando la ayuda de un especialista si la situación lo requiere.

Qué difícil es educar a nuestros hijos en la interioridad (lo que no se ve) cuando vivimos en una sociedad que empuja y arrastra hacia el poder de la imagen, de valorar lo externo (lo que es visible). Padres y educadores tenemos una tarea muy grande a la hora de trabajar esto con nuestros hijos y alumnos, pero es necesaria la colaboración de los medios de comunicación y la sociedad de consumo que no dejan de proyectar imágenes y valores superficiales. Ahí está la clave para cambiar y transformar la conciencia social. No lo olvidemos: educamos todos

#Leído en internet

11 Reglas de Bill Gates para los jóvenes:

1. La vida no es justa, acostúmbrate a ello.

2. Al mundo no le importa tu autoestima, el mundo esperará que logres algo, antes de que te sientas bien contigo mismo.

3. No ganarás 4.000 dólares mensuales justo después de haber salido de la universidad y no serás vicepresidente hasta que con tu esfuerzo te hayas ganado ambos.

4. Si piensas que tu maestro es duro, espera a que tengas un jefe. Ese sí que no tendrá vocación de enseñanza ni la paciencia requerida.

5. Dedicarse a freír hamburguesas no te quita dignidad. Tus abuelos tenían una palabra diferente para describirlo: lo llamaban oportunidad.

6. Si metes la pata, no es culpa de tus padres, así que no te lamentes por tus errores, aprende de ellos.

7. Antes de que nacieras, tus padres no eran tan aburridos como lo son ahora. Ellos empezaron a serlo al pagar tus cuentas, limpiar tu ropa y escucharte hablar acerca de tus problemas. Así que inicia el camino limpiando las cosas de tu propia vida, empezando por tu habitación.

8. En el colegio puede haberse eliminado la diferencia entre ganadores y perdedores, pero en la vida real no. En algunas escuelas ya no se pierden años lectivos y te dan las respuestas para resolver un examen y las responsabilidades son cada vez menores. Eso no tiene nada que ver con la vida real.

9. La vida no se divide en semestres. No tendrás vacaciones de verano largas en lugares lejanos, y muy pocos jefes se interesarán en ayudarte a que te encuentres a ti mismo. Todo esto tendrás que hacerlo en tu tiempo libre.

10. La televisión no es la vida diaria. En la vida cotidiana, la gente de verdad tiene que salir del café de la película para ir a trabajar.

11. Sé amable con los *nerds*. Existen muchas posibilidades de que termines trabajando para uno de ellos.

#4 citas en las que inspirarte

1. *La madurez es sólo un breve descanso en la adolescencia.*
   JULES FEIFFER

2. *La adolescencia es quizás la manera de la naturaleza de preparar a los padres para dar la bienvenida al nido vacío.*
   KAREN SAVAGE

3. *No se puede impedir el viento, pero se pueden construir molinos.*
   PROVERBIO HOLANDÉS

4. *Para ayudar a un adolescente a que se autocontrole no se le puede repetir constantemente que lo haga, que ya es mayorcito o compararlo con otras personas que sí son capaces de hacerlo.*
   ÁNGEL PERALBO

5

Tu hijo y las nuevas tecnologías

Mis hijos, por supuesto, tendrán un ordenador algún día. Pero, antes de que llegue ese día, tienen libros.

BILL GATES

Las nuevas tecnologías han llegado para quedarse y además crecen a un ritmo tan vertiginoso que los padres nos vemos desbordados, perdidos y desorientados ante tanta información. Si a esto le sumamos el gran dominio que tienen nuestros hijos –que han nacido con internet y para los que la red forma parte de sus vidas– de estas tecnologías, hay que entonar el famoso «¡Houston, tenemos un problema!».

A la hora de educar a nuestros hijos tomamos como referencia «lo que han hecho con nosotros». En el caso de las nuevas tecnologías no tenemos referentes ya que a nosotros no nos educaron en el buen uso de internet o el teléfono móvil, sencillamente porque no existían o estaba en una fase embrionaria. La brecha digital entre padres e hijos dificulta el control parental, ya que los padres consideramos que es difícil conocer las nuevas tecnologías porque avanzan y crecen de manera exponencial.

Tenemos la obligación de estar al día para poder orientar, guiar, acompañar y educar a nuestros hijos de la mejor manera posible en esta faceta tan importante de sus vidas.

Nuevas tecnologías

La tecnología evoluciona a una gran velocidad y cada día aparecen nuevas aplicaciones y redes sociales. Los padres nos vemos desbordados y desorientados. Y esto, tiene consecuencias: dejamos ordenadores, smartphones, tablets y videoconsolas en manos de nuestros hijos a edades cada vez más tempranas para que aprendan sin ningún tipo de guía o supervisión y esto es un error. Nuestra obligación y responsabilidad es implicarnos y estar al día para educar a nuestros hijos en un uso seguro de estas tecnologías. Al respecto, Javier Urra destaca:

> Con las nuevas tecnologías, los niños tienen más capacidades, más posibilidades y una diversidad que antes no se tenían. Producen cambios cognitivos, pues tienen más información que los de generaciones anteriores (mucha más), que no se ha de confundir con formación. No se comprueba lo que se estudia, les vale el «corta y pega». Un niño puede estar navegando por Internet, jugando con los videojuegos, explorando lugares de cómics y no acceder a los foros que tratan de temas de interés, ni consultar las enciclopedias virtuales. [...] Las nuevas tecnologías han supuesto modificaciones sociales en los usuarios.

Como vemos, es necesario enseñar a nuestros hijos a utilizar de una manera útil estas tecnologías así como la información a la que acceden, y somos los padres los que debemos acercar a nuestros hijos a esta educación tecnológica. Lo que ocurre es que solemos poner cientos de excusas para no «actualizarnos». Las más frecuentes son:

➤ No dispongo de tiempo para aprender. Si tus hijos pueden estar al día tú también puedes.

➤ Ya no tengo edad para aprender.

➤ Mi hijo sabe más de internet que yo.

➤ Total, mis hijos no se van a meter en problemas…

Te animo a que te pongas las pilas cuanto antes en este tema, que dejes de preocuparte y sobre todo que pases a la acción para ocuparte de ello. Es urgente y necesario porque nuestros hijos han nacido en la era digital, pero eso no significa que sepan hacer un buen uso de lo digital.

Principales preocupaciones de los padres

En las diferentes Escuelas de Padres con Talento que he impartido sobre este tema las principales preocupaciones que manifiestan los padres en cuanto al uso de la tecnología y acceso a internet por parte de sus hijo son:

➤ El acceso a contenidos inapropiados.

➤ Si los hijos son víctimas de ciberacoso.

➤ El miedo a que puedan sufrir algún tipo de «acoso sexual» en la red (*Grooming*).

➤ El uso abusivo o adicción a las tecnologías (Internet, móvil, tablets…).

➤ El contenido que puedan compartir y la privacidad del mismo.

Internet

Internet se ha convertido en una herramienta imprescindible para nuestros niños y jóvenes (también para los no tan jóvenes). Acceden desde múltiples dispositivos: tablet, ordenador, smartphone... Algunos contenidos no son adecuados para ellos. Por este motivo es importante que supervisemos más que «controlemos». Es necesario que dediquemos y pasemos tiempo con ellos mientras navegan. Debemos guiar al niño desde edades tempranas dotándole de formación e información sobre seguridad: en definitiva preparándolo para el futuro. También podemos hacer uso del sistema de control parental que nos ayuda en esta supervisión. Aquí también es fundamental educar con nuestro ejemplo: el niño observa e imita el uso que nosotros hacemos de la tecnología.

Internet es una fuente de riesgos pero también de oportunidades. Debemos estar razonablemente preocupados. No podemos demonizar internet. No hay que ser alarmistas. Tenemos que valorar y ver si son más los riesgos que las oportunidades que nos ofrece, pero nunca apartar al niño de internet pues le estaríamos negando parte de su educación como ciudadano tecnológico.

Internet y el tiempo libre

Internet y las pantallas no pueden ocupar todo el tiempo libre de nuestros hijos. Por este motivo debemos establecer una normativa de uso que nuestros hijos deben cumplir. Aspectos a tener en cuenta para ello son:

- ➤ El tiempo de exposición diario (o semanal).
- ➤ Los momentos para conectarse a internet.
- ➤ Espacios desde los que acceder.

Claves para navegar en la red[11] *(si no lo has hecho ya)*

> Dedica tiempo a navegar con tus hijos: conéctate con ellos y acompáñalos para conocer mejor sus intereses y preferencias.

> Establece tiempos de conexión y comprueba que se cumplen.

> Ubica el ordenador en un lugar común de la casa (facilita la supervisión).

> Comprueba que acceden a páginas adaptadas a su edad.

> Facilítales información sobre los posibles contenidos nocivos que pueden encontrar.

> Explícales las medidas de seguridad que deben tomar a la hora de conectarse.

> Haz uso de algún programa de filtrado o control parental.

Teléfono móvil

Es un tema en el que los padres nos sentimos bastante desorientados y perdidos. No sabemos qué hacer ni de qué forma actuar. Todo son interrogantes: ¿cuándo le compro el dichoso teléfono?, ¿a qué edad deberían empezar a usarlo?, ¿cómo puedo ayudarle para que haga un buen uso?

Los estudios e investigaciones recientes nos indican que los niños suelen tener el primer móvil entre los 9 y los 12 años. Puedo corroborar este dato a través de mi experiencia pues observo a diario que el móvil se ha convertido en el regalo estrella cuando van a sexto de primaria. A veces antes. Como puedes comprobar, estamos iniciando a nuestros hijos en el uso del móvil a edades muy tempranas sin que tengan ni la necesidad ni la ma-

---

11. Adaptado del libro *Tus hijos y las nuevas tecnologías* de Javier Urra, Ed. Pirámide.

durez para hacer un buen uso del mismo. Nosotros, los adultos, les estamos creando esa necesidad.

Compramos el teléfono con la justificación de que es para tener localizados a nuestros hijos pero ellos no tienen el mismo concepto y el uso que hacen del móvil no coincide con la idea que teníamos cuando se lo compramos. Además, en muchas ocasiones el único control que tenemos sobre el teléfono es el referido al gasto, desconociendo por completo lo que pueden llegar a hacer nuestros hijos con un móvil en el bolsillo.

No sé hasta qué punto muchos padres somos conscientes de lo que hacemos al poner un *smartphone* en manos de un niño de 9 años e incluso más pequeños. Porque los niños ya no se conforman con un simple teléfono que emita y reciba llamadas. Quieren un móvil de última generación con cámara de fotos y vídeo, juegos, aplicaciones, música y acceso a internet (cuántas veces he escuchado eso de: «Papá, quiero que me compres un iPhone»). Estamos poniendo un ordenador en el bolsillo de nuestro hijo sin pensar en el peligro que esto conlleva, ya que le permitirá acceder a internet desde cualquier lugar (si no tienen tarifa de datos, tranquilos que ya se encargarán de buscar un punto de acceso wifi para poder hacerlo y así conectar Whatsapp, Instagram, Facebook, etc.).

Adolescentes

En cuanto a los adolescentes, tenemos que tener en cuenta que el móvil se ha convertido en una extensión de ellos mismos (de su propio «yo»). Muchos adolescentes lo consideran imprescindible para sus vidas, para sus relaciones sociales ya que a través del móvil y vía Facebook, Twitter, Whatsapp... cuentan lo más importante de sus vidas. Les ayuda a sentirse miembros de un grupo (sentido de pertenencia), jóvenes entre jóvenes. Les conduce a lo que Javier Urra denomina una «hermandad virtual» que se basa en el contacto con los demás, que los demás cuenten con ellos.

Educar con el ejemplo

La evolución permanente de los teléfonos móviles nos obliga a estar continuamente actualizados. Los padres debemos conocer las funcionalidades de los móviles actuales y el uso que los niños hacen de ellos.

Debemos educar en el buen uso de los teléfonos móviles. Para ello debemos fijar y acordar unas normas de uso que nos ayude a evitar el máximo de riesgos. Es muy importante que los padres eduquemos aquí también con nuestro ejemplo. No podemos decirle al niño que mientras se come no puede estar conectado al Whatsapp si nosotros lo hacemos continuamente en cada comida: coherencia en nuestro mensaje.

Estas normas que establezcamos deben incluir:

> ➤ Tiempo de exposición.

> ➤ Momentos de uso.

> ➤ Fijar una hora de desconexión del teléfono por la noche.

Clave. Hay que insistir en la privacidad de la imagen. No deben tomar fotos ni vídeos de otras personas sin su permiso. No aceptar imágenes comprometidas de nadie. Si piensas regalar a tu hijo terminales móviles como tablets o smartphones, ten en cuenta el siguiente decálogo de César Cánovas, autor del libro *Cariño, he conectado al niño*:

1. Instala previamente un antivirus. Es tan importante tenerlo en el móvil o la tablet como en el ordenador.

2. Activa una contraseña en el terminal para controlar la descarga de aplicaciones o la realización de compras. Sólo tú debes conocer dicha contraseña.

3. Enséñales a cuidar su privacidad poniendo con ellos otra contraseña para desbloquear la pantalla, de tal forma que

nadie pueda acceder a los contenidos que guardan en el aparato en caso de pérdida o robo.

4. Controla el tiempo de uso del móvil o tablet. Deben saber cuánto tiempo pueden utilizarlos y en qué horarios. Establece una diferencia clara entre el uso semanal y de fin de semana.

5. Delimita espacios y momentos en los que no se permita su uso: durante las comidas y las cenas, en reuniones familiares… y no permitas su uso en habitaciones con la puerta cerrada (como cuartos de baño).

6. Si tienen un perfil en una red social, repasa con ellos y con frecuencia tanto el nivel de privacidad como los amigos, contactos o seguidores que tengan.

7. Presta especial atención a las fotos que suben. Acostúmbrales a consultar antes de subir una foto en la que aparezcan ellos mismos, y adviérteles sobre la necesidad de respetar la privacidad de los demás no subiendo fotos sin autorización previa de sus padres (obligatorio para los menores de 14 años).

8. Lee con ellos las condiciones de uso y permisos que solicita cada aplicación que quieran descargarse, para que tomen conciencia de los datos e información personal a los que pueden acceder las distintas app.

9. Explícales la importancia de no conectarse a redes wifi gratuitas y desconocidas, sin haber verificado antes qué entidad es la responsable de dicha red.

10. Utiliza sistemas de control parental que te permitan evitar el acceso a contenidos dañinos e inadecuados.

En definitiva, lee e investiga sobre el funcionamiento de las tecnologías que usan tus hijos. Ellos necesitan que tú seas una referencia a la que poder acudir en caso de duda o ante un problema concreto.

Cuando encendemos el móvil, apagamos la calle.
Zygmunt Bauman

Pautas para un uso responsable y seguro del móvil

A LOS PADRES

- Tenemos que comprarle el móvil cuando tenga la edad y la maduración adecuadas, teniendo en cuenta también su entorno de amistades.

- Debemos dejar muy claro a nuestros hijos lo que pueden hacer y lo que no pueden hacer con el móvil.

- No utilizar el móvil como castigo ni como recompensa.

- Si el teléfono es de contrato, hay que controlar las llamadas y el consumo y compartir esta información con los hijos para que sean conscientes del coste.

A LOS HIJOS

- No responder llamadas con número oculto.

- No facilitar su número a extraños (tampoco el número de sus amigos).

- No guardar datos personales en el móvil.

- No compartir imágenes de carácter personal o íntimo.

- Si son víctimas de *ciberbullying* deben guardar los mensajes de texto y correo electrónico.

- Si reciben imágenes pornográficas o violentas tienen que entregarlas a sus padres o profesores.

Redes sociales

Uno de los temas que más preocupan a los padres es el de las redes sociales. Desconocen qué son, qué es lo que hacen y pueden hacer sus hijos en ellas y esto los desconcierta. A muchos de ellos palabras como *Facebook*, *Twitter* o *Instagram* les suenan a chino.

Un estudio revela que, aunque el 63% de los progenitores cuenta con un perfil, cerca de la mitad de ellos desconoce cómo gestionar la información que sus hijos hacen pública.

(Fuente: *ABC.es*)

¿Qué son las redes sociales?

Me gustaría explicarte en un lenguaje sencillo qué es una red social. Se trata de una plataforma en la que podemos registrarnos, crear un perfil y buscar personas con intereses similares a los nuestros para poder intercambiar información y experiencias con ellos.

Están muy de moda entre los adolescentes, aunque hay que destacar el hecho de que nuestros menores empiezan a usar estas redes sociales cada vez a una edad más temprana, y nos encontramos con niños de 9 y 10 años que están registrados y haciendo uso de alguna de ellas. También hay que destacar que la aparición del smartphone ha facilitado enormemente el acceso a las redes y, consecuentemente, aumentado su uso.

¿Qué opinan los padres acerca de las redes sociales?

Preguntando a las madres y los padres sobre su opinión acerca de las redes sociales estas son algunas de las respuestas que me han dado:

- ➤ «Nunca he entrado en ninguna, no sé ni para qué sirven».
- ➤ «Nos preocupa mucho porque no sabemos cómo controlarlos».
- ➤ «Me gustaría conocer qué es lo que publica y comparte mi hija en sus redes sociales».
- ➤ «Me preocupa que cuelgue fotos».

Como puedes comprobar este es un tema que preocupa e incluso asusta a los padres por el desconocimiento que tienen sobre el tema. Por este emotivo aconsejo que debemos formarnos, navegar con nuestros hijos y mantener una comunicación fluida sobre el uso que hacen de estas redes sociales.

No podemos olvidar que pertenecer a una red social de manera virtual también es una manera de estar conectado con el grupo y reforzar el sentido de pertenencia en el mundo real. Por este motivo la solución no es prohibir el uso de las redes sociales sino educar para que se haga un buen uso de las mismas.

Un estudio reciente indica que al menos un 53% de los padres han tratado en alguna ocasión el tema del uso de las redes sociales con sus hijos, y que al menos un 46% muestran recelos a que sus hijos acaben agregando a su red social a algún desconocido, uno de los grandes miedos de los padres.

Un 9% de los menores de entre 9 y 16 años afirman haber acudido a una cita con alguien que conocieron en internet o en las aplicaciones del móvil.

¿Qué redes sociales usan más?

Según el estudio *Menores de Edad y Conectividad Móvil en España: Tablets y Smartphones*, publicado por PROTEGELES en 2014, el acceso a las redes sociales entre los menores españoles de 11 a 14 años es mayoritario. Nada menos que el 72% de los usuarios de 11 a 14 años con smartphone accede a redes sociales desde su terminal.

Entre las redes sociales más populares destacan Facebook y Twitter, aunque los niños y preadolescentes se registran también en otras redes sociales. Actualmente una de las redes sociales con más popularidad entre nuestros jóvenes es Instagram. Podemos afirmar que literalmente está arrasando. Debido a su inmediatez y facilidad para compartir contenido multimedia se ha convertido en un medio en el que nuestros niños y adolescentes comparten fotos, mensajes, etc. Muchos de ellos hacen un buen uso de esta red social, pero encontramos casos de menores que hacen un mal uso de esta herramienta. Por este motivo y para ayudar a los padres, Instagram ha publicado su Instagram Help Center, una guía para padres con la colaboración de entidades de protección de la infancia como Connectsafely y Protégeles. En dicha guía se da respuesta a preguntas como:

- ➤ ¿Qué riesgos supone utilizar Instagram?
- ➤ ¿Cómo puede un menor protegerse en Instagram?
- ➤ ¿Cómo se configura la privacidad?
- ➤ ¿Cómo bloquear a usuarios molestos?

> ⚠ **Ojo.** En España, la edad mínima para acceder a una red social, excepto a las específicas para menores, es de 14 años.

No podemos olvidar una herramienta que usan mucho nuestros hijos y que no es considerada una red social como tal pero que un mal uso de la misma también entraña serios peligros: se trata de Whatsapp.

En España el 76% de los niños de entre 11 a 14 años utiliza habitualmente Whatsapp, desde sus propios terminales o desde los de sus padres.

La herramienta en sí se puede utilizar bien, pero también se puede usar para acosar, amenazar, difundir calumnias, fotografías sin autorización, como así lo demuestra que se haya convertido, según coinciden la mayoría de expertos, en la herramienta más habitual en los casos de sexting y difusión de fotografías que los menores no deberían hacerse jamás. Por ello es necesario que los padres eduquemos a nuestros hijos en el buen uso del Whastapp. Empecemos por dar buen ejemplo.

> **Clave.** Facebook y el Grupo de Sociología de la Infancia y la Adolescencia y Mediasmarts han elaborado una guía para aconsejar a las familias y enseñarles a mejorar su protección online. «Piensa antes de compartir» se llama el trabajo, y ha nacido con el objetivo de ofrecer a los jóvenes, padres y educadores consejos y herramientas necesarios para ayudarles a incrementar su protección en internet.

Riesgos de internet y las redes sociales para los niños

Des estas nuevas formas de comunicación que hemos visto, también han surgido *nuevos riesgos y peligros* . Estos son los que más preocupan a los padres:

1. *Ciberbullying.* Ya hemos hablado del ciberacoso en el libro anterior de esta colección. Recuerda, para que se produzca un caso de ciberacoso, tanto el acosador como el acosado deben ser menores de edad. Si no estaríamos hablando de problemas de otra índole.

2. *Grooming.* Es el conjunto de acciones y estrategias llevadas a cabo por una persona adulta para ganarse la confianza del menor y obtener concesiones de índole sexual. Se trata del acoso sexual de menores en la red.

   ¿Cómo actúan estos acosadores sexuales?

   a) Se hacen pasar por adolescentes (perfil falso).

   b) Se ganan la confianza del menor.

   c) Piden a los menores que les envíen vídeos o fotos donde aparezcan desnudos o en actitudes sexuales explícitas (*webcam*). Cuando el menor empieza a sospechar recurren al chantaje y la amenza aprovechando que tienen el «elemento fuerza» para poder hacerlo: sus fotos. El niño, por miedo o vergüenza, no lo cuenta y ahí empieza el verdadero problema.

¿Cómo podemos prevenir el *grooming*?

Debemos educar a nuestro hijo en la precaución: que jamás proporcione imágenes comprometedoras o datos de carácter personal. Debemos evitar que consigan «el elemento fuerza». Esto es posible si mantenemos una actitud proactiva en el tema de la privacidad.

3. *Sexting*. Se denomina *sexting* al envío de contenidos de tipo sexual (fotos o vídeos) a través del teléfono móvil u otro dispositivo tecnológico.

   Cuando intervienen menores se convierte en un problema grave. A diferencia del *grooming*, aquí el menor graba sus imágenes y las envía de forma voluntaria (no hay coacción).

   ¿Cómo podemos prevenir el *sexting*?

   Recuérdale lo siguiente:

   a) Piénsatelo bien antes de enviar. Una vez envíes la foto, escapa a tu control.

   b) La imagen y los datos personales están protegidos por la ley.

   c) Recibir/tomar una imagen de alguien no te da derecho a distribuirlas a terceros.

La televisión

No cabe ninguna duda de que una de las cosas que más preocupa a los padres de hoy es qué tipo de programas ven sus hijos en la televisión. Teniendo en cuenta las enormes dificultades que encuentran las familias para conciliar su vida familiar y laboral es lógica esta preocupación, pues muchísimos niños pasan largas tardes solos en el hogar como se desprende del estudio *Encuesta de Infancia en España,* de la Fundación SM.

Pero, ¿a qué dedican el tiempo los niños cuando están solos en casa? Según indican las encuestas, fundamentalmente a navegar por internet, a ver la televisión y a hacer uso de sus teléfonos móviles, lo cual puede ser preocupante.

Somos los padres los que tenemos que educar a nuestros hijos para que hagan un uso responsable de la televisión y evitar lo que irresponsablemente emiten algunas cadenas de televisión dentro del llamado «horario de protección infantil», que tan poco se respeta. Además, los responsables últimos del consumo que se hace de la televisión cada día somos las familias.

El horario protegido es el que se encuentra en la franja de las 6:00 a las 22:00 horas y no se pueden emitir programas clasificados como «no recomendados para menores de 18 años». Existe también un horario reforzado que es el que está en la franja de las 8:00 a las 9:00 y de las 17:00 a las 20:00 horas de lunes a viernes y de 9:00 a 12:00 horas los sábados, domingos y festivos de ámbito nacional, donde no se pueden emitir programas clasificados como «no recomendados para menores de 13 años».

Ahora bien, hemos de tener en cuenta que desde la aparición de la televisión digital hay una gran diversidad de canales que se dedican a emitir una programación destinada a los niños casi las 24 horas (Disney Channel, Clan, Boing, etc.). Aunque ahí también hay mucho que comentar. La pregunta es: ¿está la televisión pensada para los niños? o, mejor aún, ¿la mayoría de los programas que se emiten en la actualidad están pensados para un público infantil o adulto?

Dentro de ese tramo protegido se están emitiendo:

1. Debates donde lo que prima es el insulto, la descalificación y las faltas de respeto continuadas.

2. Estereotipos de diversa clase, presentando a la mujer como reclamo sexual, el culto al cuerpo...

3. Contenidos violentos donde no solo aparece violencia física sino también verbal y psicológica. Aquí incluiría algunos informativos que muestran contenidos violentos explícitos e innecesarios. Es peligroso presentar la violencia como un modo sencillo de resolver los conflictos.

4. Muestran la sexualidad como algo banal y de una manera muy superficial.

5. Un uso del lenguaje desagradable y, en muchas ocasiones, inadecuado.

Consejos para un buen uso de la televisión

➤ Tenemos que evitar que el niño tenga televisión en su habitación. El televisor deberá estar en la sala principal de la casa, donde nos permita el diálogo con nuestros hijos mientras la están viendo.

➤ En la medida de lo posible, tenemos que acompañar a nuestros hijos mientras ven la televisión y comentar aquellas imágenes o expresiones que no son apropiadas.

➤ Tenemos que aprovechar y convertir la televisión en una herramienta educativa para el diálogo y el debate.

➤ Determinar un horario que se ha de cumplir y revisar la programación para seleccionar los programas adecuados para su edad.

➤ No tenemos que utilizar la televisión como única forma de recompensa.

➤ No tener la televisión todo el día encendida evitando que se convierta en el centro del hogar o el único lugar de encuentro en el espacio familiar.

➤ Potenciar en nuestros hijos una actitud crítica que les ayude a adquirir una mayor autonomía.

➤ En definitiva, tenemos que educar en cómo ver la televisión tanto desde la familia como desde la escuela pues, si sabemos aprovecharla, tenemos una herramienta muy poderosa y útil a nuestro favor.

Criterios de selección de la programación

Los programas que nuestros hijos pueden ver deben ser:

➤ Adecuados a su edad.

➤ Coherentes con los valores que deseamos transmitirles.

➤ Útiles para su aprendizaje emocional, académico…

Los padres ya pasamos muchas horas separados de nuestros hijos por el trabajo y por la escuela. Hemos de intentar que la televisión no devore la mayor parte del tiempo que nos queda para estar con ellos.

Carlos González

De los juegos a los videojuegos

El videojuego es uno de los entretenimientos predilectos de los niños, que juegan no solo a través de las videoconsolas y ordenadores sino también desde los móviles o tablets. Además muchos de ellos se juegan *online*. La edad de mayor uso está en torno a los 11-14 años.

La gran preocupación de los padres con respecto a los videojuegos es la adicción o abuso, ya que les quitan tiempo de otras actividades como el estudio, leer, estar con la familia o con amigos…

Síntomas para detectar si está enganchado:

> ➤ Sufre si está fuera porque quiere volver para jugar a la consola.

> ➤ Evita ir a casa de amigos que no tengan la «Play».

> ➤ Prefiere estar en la consola que salir por ahí a hacer otras actividades.

> ➤ Está al día de todo lo que ocurre en el mundo de las consolas.

> ➤ De regalos solo quiere juegos para la consola.

> ➤ Se siente nervioso si deja de jugar.

> ➤ Mientras está realizando otra actividad piensa en los videojuegos.

> ➤ No come, no hace los deberes, olvida compromisos, deja a sus amigos por estar jugando…

Existe una enorme oferta de videojuegos en el mercado, todos ellos clasificados por las normas del código de autorregulación por edades PEGI (Pan European Game Information). La clasificación por edad es un sistema destinado a garantizar que el contenido de los productos de entretenimiento, como son las películas, los vídeos, los DVD y los juegos de ordenador, sea etiquetado por edades en función de su contenido. Las clasificaciones por edades orientan a los consumidores (especialmente a los padres) y les ayudan a tomar la decisión sobre si deben comprar o no un producto concreto. Por este motivo no puedo entender cómo niños de 9 y 10 años tienen en sus manos juegos clasificados para mayores de 18 años.

¿Cuál es el significado de las etiquetas PEGI?[12]

Las etiquetas PEGI se colocan en el anverso y el reverso de los estuches e indican uno de los siguientes niveles de edad: 3, 7, 12, 16 y 18 años. Indican de manera fiable la idoneidad del contenido del juego en términos de protección de los menores. La clasificación por edades no tiene en cuenta el nivel de dificultad ni las habilidades necesarias para jugar.

PEGI 3

El contenido de los juegos con esta clasificación se considera apto para todos los grupos de edades. Se acepta cierto grado de violencia dentro de un contexto cómico (por lo general, formas de violencia típicas de dibujos animados como Bugs Bunny o Tom y Jerry). El niño no debería poder relacionar los personajes de la pantalla con personajes de la vida real, los personajes del juego deben formar parte exclusivamente del ámbito de la fantasía. El juego no debe contener sonidos ni imágenes que puedan asustar o amedrentar a los niños pequeños. No debe oírse lenguaje soez.

PEGI 7

Pueden considerarse aptos para esta categoría los juegos que normalmente se clasificarían dentro de 3, pero que contengan escenas o sonidos que puedan asustar.

---

12. http://www.pegi.info

PEGI 12

En esta categoría pueden incluirse los videojuegos que muestren violencia de una naturaleza algo más gráfica hacia personajes de fantasía, y/o violencia no gráfica hacia personajes de aspecto humano o hacia animales reconocibles, así como los videojuegos que muestren desnudos de naturaleza algo más gráfica. El lenguaje soez debe ser suave y no debe contener palabrotas sexuales.

PEGI 16

Esta categoría se aplica cuando la representación de la violencia (o actividad sexual) alcanza un nivel similar al que cabría esperar en la vida real. Los jóvenes de este grupo de edad también deben ser capaces de manejar un lenguaje más soez, el concepto del uso del tabaco y drogas y la representación de actividades delictivas.

PEGI 18

La clasificación de adulto se aplica cuando el nivel de violencia alcanza tal grado que se convierte en representación de violencia brutal o incluye elementos de tipos específicos de violencia. La violencia brutal es el concepto más difícil de definir, ya que en muchos casos puede ser muy subjetiva pero, por lo general, puede definirse como la representación de violencia que produce repugnancia en el espectador.

Los descriptores que aparecen en el reverso de los estuches indican los motivos principales por los que un juego ha obtenido una categoría de edad concreta. Existen ocho descriptores: *violencia, lenguaje soez, miedo, drogas, sexo, discriminación, juego* y *juego en línea con otras personas.* Son los siguientes:

Lenguaje soez. El juego contiene palabrotas.

 Discriminación. El juego contiene representaciones discriminatorias o material que puede favorecer la discriminación.

 Drogas. El juego hace referencia o muestra el uso de drogas.

 Miedo. El juego puede asustar o dar miedo a los niños.

 Juego. Juegos que fomentan el juego de azar y apuestas o enseñan a jugar.

 Sexo. El juego contiene representaciones de desnudez y/o comportamientos sexuales o referencias sexuales,

 Violencia. El juego contiene representaciones violentas.

 En línea. El juego puede jugarse en línea.

#Leído en internet

Carta de un hijo a todos los padres del mundo (Anónimo)

1. **No me grites.** Te respeto menos cuando lo haces. Y me enseñas a gritar a mí también y yo no quiero hacerlo.

2. **Trátame con amabilidad y cordialidad igual que a tus amigos.** Que seamos familia no significa que no podamos ser amigos.

3. **Si hago algo malo, no me preguntes por qué lo hice.** A veces, ni yo mismo lo sé.

4. **No digas mentiras delante de mí, ni me pidas que las diga por ti** (aunque sea para sacarte de un apuro). Haces que pierda la fe en lo que dices y me siento mal.

5. **Cuando te equivoques en algo, admítelo.** Mejorará mi opinión de ti y me enseñarás a admitir también mis errores.

6. **No me compares con nadie, especialmente con mis hermanos.** Si me haces parecer mejor que los demás, alguien va a sufrir y si me haces parecer peor, seré yo quien sufra.

7. **Déjame valerme por mí mismo.** Si tú lo haces todo por mí, yo no podré aprender.

8. **No me des siempre órdenes.** Si en vez de ordenarme hacer algo, me lo pidieras, lo haría más rápido y más a gusto.

9. **No cambies de opinión tan a menudo sobre lo que debo hacer.** Decide y mantén esa posición.

10. **Cumple las promesas, buenas o malas.** Si me prometes un premio, dámelo, pero también si es un castigo.

11. **Trata de comprenderme y ayudarme.** Cuando te cuente un problema no me digas «eso no tiene importancia», porque para mí sí la tiene.

12. **No me digas que haga algo que tú no haces.** Yo aprenderé y haré siempre lo que tú hagas, aunque no me lo digas. Pero nunca haré lo que tú dice y no haces.

13. **No me des todo lo que te pido.** A veces, sólo pido para ver cuánto puedo recibir.

14. **Quiéreme y dímelo.** A mí me gusta oírtelo decir, aunque tú no creas necesario decírmelo.

#4 citas en las que inspirarte

1. *La familia debe estar cerca para evitar que los hijos se enreden en la red.*
   Begoña del Pueyo y Rosa Suárez

2. *La rebeldía, a la luz de todo el que haya leído algo de historia, es la virtud original del hombre.*
   Oscar Wilde

3. *Tus adolescentes se van a comportar como adolescentes hagas lo que hagas.*
   Richard Templar

4. *En la adolescencia la amistad se encumbra al máximo nivel, llena la vida de contenido, existe mucha entrega en esta bella relación.*
   Javier Urra

6

Retos para educar hoy: educación del siglo XXI

Si enseñamos a los estudiantes de hoy como enseñábamos ayer, les estamos robando el mañana.

JOHN DEWEY

Llegamos al final del libro y no podía terminarlo sin abordar un tema que considero de urgente necesidad: la educación del siglo XXI y la necesidad que tenemos de transformarla. Educar hoy se ha vuelto una tarea compleja por múltiples motivos. Vivimos tiempos de grandes cambios y esto afecta a la educación de una manera u otra. Nosotros, además de intentar educar de la mejor manera posible a nuestros hijos, debemos aportar nuestro granito de arena para promover un cambio en la educación en general, ya que esto se traducirá en una transformación de la sociedad. No podemos nadar contracorriente sino más bien ser nosotros ese cambio que queremos ver en el mundo. Creo que es uno de los mejores legados que podemos dejar a nuestros hijos.

El cambio educativo

Si nos detenemos un instante y miramos con atención a nuestro alrededor, nos daremos cuenta de que vivimos en una época convulsa en la que el conflicto es una constante en casi todos los ámbitos de la vida: la pareja, el trabajo, los negocios… El mundo educativo no es ajeno a ello. En la actualidad estamos sufriendo una crisis económica temporal (o eso esperamos), pero al mismo tiempo vivimos inmersos en una crisis educativa permanente. Por tanto, es momento de empezar a trabajar y pasar a la acción para poder salir de esta crisis y dar paso a un cambio positivo que beneficiará positivamente a nuestra sociedad en muchos aspectos. Como muy bien señala el filósofo José Antonio Marina, «la nostalgia educativa es una farsa. Nunca hemos tenido mejor escuela que ahora». Tenemos indicios de que esto realmente es así, pero a pesar de ello todavía nos quedan muchas cosas por mejorar.

En muchos ámbitos, la humanidad ha conseguido grandes cambios y un desarrollo totalmente impensable hace unos años: grandes descubrimientos y avances científicos en campos como la informática, las comunicaciones… Todos estos avances están incidiendo de una manera u otra en el mundo educativo que, pese a algunas resistencias iniciales, está teniendo que cambiar y adaptarse a estas nuevas formas de vivir, comunicarse y, por tanto, de enseñar y aprender. No obstante, nos seguimos encontrando con una gran contradicción: observamos que a pesar de todas estas mejoras, avances y transformaciones estamos reincidiendo en los mismos errores y no acabamos de dar solución a una gran cantidad de problemas socioeducativos que no hacen sino extenderse como una verdadera epidemia que nos invade e incapacita para salir de esta crisis permanente que he mencionado antes. Los medios de comunicación no dejan de bombardearnos con términos como *bullying* o *fracaso escolar*. Nos transmiten el mensaje de que todo lo que tenga que ver con la educación es negativo, que está todo muy mal. No se hacen eco de los aspectos positivos de la educación. Lo malo vende más. De esta forma intoxican y contagian un *pesimismo educativo* que provoca que nuestro sistema educativo se debilite y enferme impidiéndonos avanzar con rumbo fijo para revertir esta situación. Llegados a este punto, nos deberíamos plantear una serie de cuestiones:

1. ¿Cómo es posible que hayamos llegado a esta situación?
2. ¿Qué hemos hecho tan mal para estar así?
3. ¿Qué cosas no hemos tenido en cuenta para cometer estos errores?

Y sobre todo, cuestiones que nos hagan reflexionar a cada uno de nosotros y hacer propósito de enmienda:

➤ ¿Qué grado de responsabilidad tengo yo (tanto por acción como por omisión) en este proceso de debilitamiento y crisis educativa?

➤ ¿Qué puedo hacer yo para contribuir a un cambio positivo del mundo educativo?

Para que las cosas empiecen a cambiar es necesaria una mayor preocupación por el impacto que tienen nuestras pequeñas acciones sobre el sistema educativo del que todos formamos parte.

La educación tiene que cambiar. Esto es urgente y necesario y para que esto ocurra necesitamos del compromiso individual de cada uno de nosotros para aportar soluciones. Necesitamos con urgencia un compromiso educativo de la sociedad. No podemos esperar de manera ingenua a que los gobiernos resuelvan el problema educativo porque, hasta la fecha, hemos dejado esta toma de decisiones en manos de los políticos y la situación lejos de mejorar no ha hecho más que empeorar. ¿Por qué motivo? Porque las soluciones aportadas son pequeños parches: cambiar la ley educativa y establecer numerosas reformas que nos han ido encerrando en un callejón sin salida del que es difícil (pero no imposible) salir.

Hay una frase de Gandhi que me encanta y que nos indica cuál es el camino a seguir: «tú debes ser el cambio que quieres ver en el mundo». Con mucho atrevimiento suelo utilizarla aplicándola al tema que nos ocupa: «tú debes ser el cambio que quieres ver en el mundo educativo». Y es que cada uno de nosotros debe tomar sus propias decisiones y comprometerse a llevar a cabo un cambio personal si realmente queremos cambiar algo. Y de este compromiso educativo personal surgirá un compromiso educativo social más amplio en el que todos y cada uno de nosotros seremos auténticos protagonistas: la escuela, las familias, los medios de comunicación, los políticos. Seremos promotores de grandes cambios y transformaciones sociales.

Todos debemos empezar a preocuparnos por las repercusiones que tienen nuestras acciones en el mundo educativo pues nuestra responsabilidad educativa es compartida. Es momento de actuar. Como destaca José Antonio Marina, «la inteligencia humana termina en la acción. Gracias a ella, lo irreal puede hacerse real». Tenemos que hacer que sucedan cosas. Por desgracia, el pesimismo educativo que he citado anteriormente actúa como paralizador porque genera miedo, dudas, desconfianza. En nosotros mismos y también en el propio sistema. Damos por sentado que las cosas son así y que no se pueden cambiar. No nos atrevemos a salir de nuestra zona de confort e intentar cosas nuevas.

El gran Albert Einstein ya dijo: «si buscas resultados distintos no hagas siempre lo mismo». Esta magnífica afirmación encierra una gran verdad. Y la tenemos que poner en práctica desde ya mismo.

Aquí encontramos la clave del cambio educativo: el compromiso. Para ello son necesarios dos elementos básicos:

➤ Que empecemos a tomar conciencia de manera individual de la magnitud del problema al que nos estamos enfrentando.

➤ Que descubramos y confiemos en nuestro propio potencial. Todos podemos ser impulsores y promotores de grandes cambios educativos. Solo tenemos que ponernos en marcha. El secreto está en la acción.

Aunque no lo creamos así, aunque pensemos que vamos a contracorriente, fruto del pesimismo educativo que se contagia a una velocidad de vértigo, somos muchísima gente deseando el cambio. Tenemos que vernos a nosotros mismos como pequeñas semillas capaces de crecer y multiplicarnos. Ninguna imprescindible pero todas necesarias.

Te preguntarás ¿qué es lo que tenemos que cambiar en educación?, ¿hay tanto por cambiar?

Evidentemente no vamos a cambiarlo todo de la noche a la mañana. No vamos a poner patas arriba el sistema educativo de forma inmediata. Tenemos que empezar cambiando pequeñas cosas que nos irán llevando y conduciendo a otras mayores. Unas cosas nos llevarán a poder solucionar otras. Tenemos grandes retos y desafíos. Ojalá pudiésemos abordarlo todo al mismo tiempo pero además de que es imposible, nos desbordaría. Recomiendo que empecemos poco a poco, paso a paso buscando nuevas soluciones y aportaciones.

Es momento de parar y preguntarnos cada uno de nosotros ¿qué puedo aportar yo para dar solución a todo esto? Aportando nuestro pequeño granito de arena estaremos provocando un movimiento de cambio que nos conducirá en un futuro a dar solución a estos y otros problemas. No es momento de seguir enumerando problemas sino de buscar soluciones y llevarlas a cabo. Poco a poco, paso a paso iremos abordando y solucionando más problemas hasta conseguir una estabilidad y mejora de nuestra educación. El objetivo último de mejorar la educación es conseguir un mundo mejor para todos y todas. Si somos capaces de comprender esto empezaremos a cambiar el mundo... ¿No te parece fantástico?

Tú puedes liderar ese cambio

Mucha gente duda ante la idea de liderar y mucho más cuando hacemos referencia a este liderazgo en la educación. Claro, todo el mundo piensa: «Liderar, ¿cómo alguien como yo va a liderar algo con lo insignificante que soy? Esto es así porque creemos que «siempre hay alguien que nos tiene que ordenar o dirigir» y que sin esa autoridad somos incapaces de liderar. Las cosas están cambiando y el mundo de la educación no es ajeno a estos cambios. Por este motivo necesitamos gente apasionada por el cambio, gente que quiere que ocurran cosas y que la educación mejore en el más amplio sentido de la palabra. Cada uno de nosotros tenemos la oportunidad de convertirnos en una figura clave de este movimiento que ahora mismo estamos poniendo en marcha.

Todos tenemos muchísima más influencia de la que realmente pensamos. Tenemos ideas, ganas y un movimiento que ahora iniciamos. Vamos a darles un impulso y a conectar con más gente que quiera unirse a nosotros. Y tú, ¿vas a quedarte ahí quieto esperando a que ocurran cosas o quieres liderar este cambio educativo y hacer que sucedan cosas? Cuento contigo.

Familia y escuela somos un equipo

En los anteriores capítulos ya te he hablado de la gran importancia de que familia y escuela vayamos de la mano. Si observas con atención, por regla general, las relaciones entre la familia y la escuela están basadas en el recelo y la desconfianza mutua. Los padres cuestionan el papel y la labor que desempeña el profesorado y los profesores, a su vez, hablan de la dimisión de las familias en su acción educativa. Si a todo esto le sumamos una falta de diálogo y comunicación entre ambas instituciones, podemos afirmar con rotundidad aquello de «Houston, tenemos un problema» pues familia y escuela no podemos permitirnos el enfrentamiento: necesitamos avanzar juntos, de la mano, ya que está en juego el futuro de la infancia, es decir, el futuro de nuestra sociedad.

Dejemos a un lado nuestros prejuicios, falsas ideas y creencias y establezcamos un nuevo modelo de relación entre la familia y la escuela. Para ello tenemos que actuar como un auténtico equipo educativo capaz de mejorar la educación a través de un proyecto único que vamos a compartir. Pero, ¿qué pueden hacer las familias para contribuir a establecer este equipo educativo?

Para constituir este equipo desde las familias nos apoyaremos en cuatro pilares fundamentales:

- Comunicación
- Participación
- Colaboración
- Implicación

Analicemos con detenimiento cada uno de estos pilares:

1. COMUNICACIÓN

Una buena comunicación es primordial. Cuando en las relaciones de cualquier tipo falla la comunicación, todo se viene abajo y empiezan a surgir conflictos, disputas, malentendidos, etc. que nos encierran en un callejón sin salida del que es casi imposible escapar. Por este preciso motivo las relaciones familia-escuela deben asentarse en una comunicación óptima. Esto que sobre el papel queda muy bonito y parece muy sencillo es tremendamente difícil ponerlo en práctica pues es ahí donde encontramos grandes obstáculos para llevarlo adelante. Es momento de preguntarnos ¿qué podemos hacer para conseguir una buena comunicación entre padres y docentes? Veamos algunas sencillas ideas para llevarlo a la práctica:

- Aprovechar las reuniones y las tutorías para establecer un diálogo fluido con los profesores de nuestros hijos.

➤ No hacer uso de un doble lenguaje que nos perjudica a todos. Hablar claro y con sinceridad.

➤ Comunicarnos siempre cuando corresponde hacerlo: en el lugar y el momento adecuados, nunca de otro modo (ejemplo: los famosos corrillos a las puertas de los coles). Los problemas de la escuela se resuelven en la escuela y no en la panadería ni en el supermercado.

➤ Saber escuchar es tan importante como saber hablar.

➤ Debemos aprovechar el poco tiempo del que disponemos para dialogar: no podemos decirlo todo.

➤ Transmitir a nuestros hijos el mensaje de que actuamos como un equipo con sus profesores pues la actitud que los padres tengamos frente a la escuela y frente a lo que en ella se realiza es la que transmitimos a nuestros hijos.

Te animo a que intentes llevar a cabo una comunicación lo más fluida posible con los profesores de tus hijos.

2. PARTICIPACIÓN

Si observamos los estudios recientes que nos hablan de la participación de los padres en la escuela destacan que es escasa y en ocasiones nula. Esto ocurre por diversas causas: desmotivación, despreocupación, dificultad para conciliar la vida familiar y laboral. En otras ocasiones la causa principal es que las propias escuelas se encierran en sí mismas y no dejan acceder a las familias dificultando así su participación.

Veamos algunas ideas para mejorar dicha participación:

➤ Crear un clima positivo en el centro educativo que favorezca esta participación tan necesaria por parte de las familias.

➤ Preparar convenientemente las reuniones con los profesores y aprovecharlas como un lugar de encuentro esencial apoyándonos en la comunicación y el diálogo.

➤ Colaborar y participar en la AMPA del centro. Establecer un nuevo modelo de AMPA que participe activamente en la vida del centro. Estas AMPAS son las que denomino «AMPAS inteligentes» que se caracterizan por una gran creatividad e innovación. Son un motor de ideas interesantes que ayudan a mejorar el clima del centro.

➤ Impulsar la creación de Escuelas de Madres y Padres en todos los centros educativos facilitando la reflexión de las familias.

➤ Centrar las prioridades del centro en la necesidad de compartir necesidades, inquietudes, ideas e intereses de manera conjunta.

➤ Aportar nuevas ideas, hacer críticas constructivas, etc.

Te animo a que participes en las diferentes actividades que propone el centro de tu hijo y que además tú puedas plantear otras.

3. COLABORACIÓN

El tercer pilar esencial es el de la colaboración. Necesitamos establecer una colaboración estrecha y animosa para mejorar las relaciones entre familia y escuela. Como muy bien señalan L. Bazarra, O. Casanova y J. García:

> La tarea de educar debe ser compartida y convergente. Se equivoca quien pretenda educar desde la divergencia en el modo en que padres y centro escolar entienden la educación y el mundo en que vivimos.

Por este motivo te animo a que colabores con la escuela. Para ello es necesario establecer equipos, redes y alianzas que nos ayuden a conseguir un vínculo positivo y equilibrado entre ambas instituciones pues «la escuela no puede educar sin los padres y los padres no pueden educar sin la escuela».

4. IMPLICACIÓN

El cuarto y último pilar lo constituye el tan necesario compromiso educativo de las familias. De todos es sabido que la implicación de las familias en la educación es un factor decisivo del éxito escolar del niño. Como vemos, si trabajamos concienzudamente estos cuatro pilares estaremos en el buen camino para establecer (o restablecer) unas armoniosas relaciones entre las familias y la escuela, ya que como siempre me gusta afirmar «las familias y la escuela necesitamos compartir, no competir». Ahí está la clave de todo. No podemos esperar a que cambie el otro. El cambio siempre debe empezar por uno mismo.

Además de todo esto, necesitamos también un compromiso educativo de la sociedad para que, de este modo, podamos promover una transformación total de nuestro sistema educativo ajustándonos a la realidad de la escuela del siglo XXI. Necesitamos la implicación de todos: medios de comunicación, familias, escuela, políticos… Todos podemos aportar nuestro granito de arena para mejorar la educación, ¿te animas a hacerlo?

Grupos de whatsapp de los padres de la clase: ¿oportunidad o peligro?

¿Estas metido en algún grupo de Whatsapp de la clase de tu hijo?, ¿qué opinión tienes de ello? Personalmente considero que la tecnología lo que está haciendo es amplificar lo que ya te he comentado y que es necesario abordar: hay una brecha entre familia y escuela que motiva que las diferencias entre ambas instituciones no se resuelvan en los lugares y momentos que corresponden y esto tiene unas consecuencias. Hemos pasado de los corrillos a las puertas del cole a los corrillos en los grupos de Whatsapp con todo lo que esto supone. Como muy bien afirma Jordi Martí en su blog XarxaTIC:

Leer whatsapps y criticar en esos grupos puede estar muy bien como terapia de grupo pero no arregla nada. Donde se arreglan las cosas es en los centros educativos.

Seguimos utilizando un doble lenguaje: delante del profesor digo una cosa pero luego en el Whastapp digo lo que me parece.

¿Qué está ocurriendo?

Sin pretender generalizar, me gustaría explicar a grandes rasgos qué está ocurriendo y de qué forma podemos solucionar el problema.

Empecemos desde el principio, Whatsapp es una herramienta fantástica que nos permite estar en contacto con las madres y los padres de los niños de la clase de nuestros hijos, algo que es una ventaja y de mucha utilidad para intercambiar información sobre reuniones, cumpleaños, trabajos en grupo, noticias del cole, etc., pero de esto hemos pasado a otras cosas que están generando problemas. Veamos las más destacadas:

➤ **Agendas.** Hemos pasado a querer controlar absolutamente todo: tareas, deberes, respuestas de ejercicios. Tal es así que son habituales mensajes como «mi hijo no tiene la agenda y no sabe qué ejercicios hay que hacer». De hecho, ya hay algún centro educativo que ha tenido que elaborar una circular en la que se apela a la responsabilidad de todos los padres en el uso de este sistema de mensajería destacando que esto ayudará a sus hijos «a aprender a ser más responsables y escuchar al profesor, en definitiva, a ser autónomos y a solucionar los problemas ellos mismos».

No debemos anticiparnos a todo y, como padres, hemos de trabajar para favorecer la autonomía de nuestros hijos. Les servirá de mucha ayuda para la vida: eduquemos en la responsabilidad para que aprendan a asumir sus propias responsabilidades, que no quede solo en la teoría.

➤ **Críticas.** Nos encontramos también con casos más preocupantes de madres y padres que se dedican a realizar una crítica (generalmente destructiva) sobre la labor del profesor: «pone excesivos deberes», «no me gusta cómo trabaja con los niños», «les pone pocas tareas para vacaciones. con el tiempo que tienen». Lo que sea con tal de cuestionar la labor del docente. Pero no siempre es culpa de los padres proceder de este modo, en ocasiones lo provocan algunos centros que mantienen sus puertas cerradas a todo lo que venga del exterior dejando a las familias sin saber lo que ocurre allí ni dejarles participar. Es momento de derribar los muros y empezar a trabajar y educar e equipo.

Pero estas críticas vertidas en el grupo no solo van dirigidas a los profesores, sino también hacia otros padres y madres, lo que provoca enfrentamientos también entre ellos.

➤ **Sembrar dudas.** También tenemos madres y padres que se dedican a difundir rumores sobre el profesor creando confusión y malos entendidos: «a mí me han dicho…», «me han contado que…», «he oído que…». Estos rumores se alimentan de la credibilidad que le da el resto del grupo. Hay quien busca ser escuchado y se inventa cualquier cosa para conseguirlo, no tiene vida propia y por eso vive de la historia de los demás.

➤ **Solucionar problemas.** Nos encontramos con padres y madres que pretenden solucionar sus problemas y diferencias con el profesor en el grupo: «a mi hijo no le hace caso», «a mi hijo no le atiende». Esto crea mayor confusión e intoxica el ambiente del grupo. Si realmente considera que esto es así lo que debe hacer es ir directamente a hablarlo con el profesor en el centro.

➤ **Subgrupos o grupos alternativos.** Algo que está ocurriendo es que, dentro del mismo grupo, se crean subgrupos o grupos alternativos en función de las afinidades o distanciamientos entre algunos padres miembros del grupo. Esto les permite compartir algunas cosas sin que el resto se enteren.

Como puedes comprobar, el problema no está en la herramienta sino en el mal uso que le estamos dando y ahí es donde debemos empezar a trabajar desde ya mismo con las familias. ¿Cómo pretendemos no encontrarnos después con problemas y líos de Whatsapp con los alumnos si son un reflejo de lo que hacen sus mayores? Tenemos que reflexionar seriamente sobre el tema.

Sócrates y los grupos de whatsapp de la clase

Quiero ofrecerte tres FILTROS que te van a ser de mucha utilidad cuando quieras hacer uso del Whastapp de la clase y publicar alguna cosa. Lo voy a hacer a través de un sencillo relato atribuido a Sócrates que te hará reflexionar. Es el siguiente:

En la antigua Grecia, Sócrates fue famoso por su sabiduría y por el gran respeto que profesaba a todos.

Un día un conocido se encontró con el gran filósofo y le dijo:

—¿Sabes lo que escuché acerca de tu amigo?

—Espera un minuto —replicó Sócrates—. Antes de decirme nada quisiera que pasaras un pequeño examen. Yo lo llamo el examen del triple filtro.

—¿Triple filtro?

—Correcto —continuó Sócrates—. Antes de que me hables sobre mi amigo, puede ser una buena idea filtrar tres veces lo que vas a decir, es por eso que lo llamo el examen del triple filtro. El primer filtro es la verdad. ¿Estás absolutamente seguro de que lo que vas a decirme es cierto?

—No —dijo el hombre—, realmente solo escuché sobre eso y…

—Está bien —dijo Sócrates—. Entonces realmente no sabes si es cierto o no. El segundo filtro, el filtro de la bondad. ¿Es algo bueno lo que vas a decirme de mi amigo?

—No, todo lo contrario…

—Entonces, deseas decirme algo malo sobre él, pero no estás seguro de que sea cierto. El tercer filtro de la utilidad. ¿Me servirá de algo saber lo que vas a decirme de mi amigo?

—No, la verdad es que no.

—Bien —concluyó Sócrates—, si lo que deseas decirme no es cierto, ni bueno, e incluso no es útil, ¿para qué querría saberlo?

Como ves, antes de publicar cualquier cosa en el grupo deberías pasarlo por estos tres filtros:

➤ La verdad.
➤ La bondad.
➤ La necesidad de decirlo.

Si aquello que vas a publicar no es verdadero, ni bueno ni necesario no te molestes en publicarlo.

Espero que te haya sido de utilidad y te animo a que lo compartas (por ejemplo, por el Whatsapp de la clase). Seguro que a más de uno le vienen bien estos consejos…

9 consejos para hacer un buen uso del whastapp de la clase

Me gustaría compartir contigo nueve consejos para un buen uso del grupo de Whatsapp de la clase:

1. Utiliza el grupo de Whatsapp de la clase para intercambiar información útil sobre tu hijo y el grupo-clase. Si no

tienes nada positivo, útil e interesante que aportar mejor no escribas nada.

2. Respeta a los demás en su intimidad: una vez se comparte un contenido ya no hay marcha atrás.

3. No escribas lo que no dirías a la cara. Piénsatelo dos veces antes de enviarlo.

4. No te conviertas en la agenda de tu hijo: deja que aprenda a asumir sus propias responsabilidades.

5. Ante el mal uso de alguno de los miembros del grupo no dejes pasar la ocasión de mostrar tu disconformidad y hacerle ver que no es la manera correcta de proceder.

6. Evita comentar los rumores que se compartan en el grupo e intenta erradicarlos. El rumor es una construcción grupal: todos los que participan o comentan el rumor son sus constructores pues cada uno de ellos aporta algo al mismo.

7. Si tus intentos de eliminar estas actitudes del grupo son fallidos, siempre tienes la opción de abandonar el grupo. Aunque algunos no lo entenderán, a veces es la mejor opción.

8. No compartas en el grupo contenidos que atenten contra la privacidad de alguien ni sea ofensivo hacia otros (padres, profesores…).

9. Si tienes algún problema que resolver con el profesor, no lo hagas a través del grupo: ves directamente al centro a hablar con él cara a cara. De esta forma le darás la opción de poder ofrecerte sus argumentos sobre lo sucedido.

Por tanto, hagamos un buen uso de esta herramienta y convirtamos estos grupos en una oportunidad para promover un acercamiento entre familia y escuela con el fin de conseguir establecer una auténtica alianza educativa por el bien de nuestros hijos.

☑ **Actividad.** Haz llegar estos consejos (por ejemplo, por escrito) a los padres de la clase de tu hijo o bien al centro. Háblales de la necesidad de hacer un buen uso del grupo de Whatsapp por el bien de vuestros hijos.

Éxito y fracaso en la escuela del siglo XXI

Quiero compartir contigo algunas ideas sobre un tema de especial importancia en la educación actual: el concepto de *éxito y fracaso* que tenemos en la escuela de hoy.

Nuestro modelo educativo ha quedado anclado en el pasado, ajeno a los grandes desafíos y transformaciones sociales actuales. Además es un modelo que no prepara a nuestros alumnos para ese futuro incierto que está por venir. Por este motivo es necesario movilizarnos para cambiarlo. En el actual modelo educativo, el **éxito** se mide en función de los exámenes aprobados y los alumnos más inteligentes y capacitados son aquellos que obtienen las mejores calificaciones. Entonces, ¿qué ocurre con el resto de alumnos? Pues que se van quedando en el camino, disminuyendo sus ganas y su iniciativa personal hasta que dejan de intentar las cosas por no fracasar.

Nuestro objetivo como educadores debe ser trabajar con estos alumnos que tienen una imagen negativa de sí mismos y hacerles ver que no son peores alumnos por obtener unas calificaciones más bajas. Además tenemos que insistir en que no deben abandonar, que lo tienen que intentar... Valdría la pena recordarles lo siguiente:

Siempre fallarás el tiro que no tires.

Nuestros hijos y alumnos no pueden perder esa capacidad de arriesgarse, de intentarlo por miedo a fracasar... Y tenemos que cambiar esto con urgencia.

Como muy bien afirma Richard Gerver:

> Si queremos crear un sistema educativo que verdaderamente ponga en juego el potencial de cada individuo y que los prepare para liderar los desafíos del futuro, tenemos que cambiar la naturaleza del concepto de fracaso y de la noción de riesgo. El hecho de cometer errores es una parte más del proceso de aprendizaje y no podemos estar continuamente condenando el error. Solo cuando cometemos errores, cuando tenemos la oportunidad de fracasar, aparece la oportunidad de aprender.

El éxito es casi siempre el resultado de la suma de fracasos.

Siguiendo con Richard Gerver:

> La educación no puede ser en blanco y negro, ni puede consistir en estudiar para aprobar exámenes; es mucho más importante. El éxito educativo no debería medirse en proporción inversa a las marcas rojas en un papel, ni por nuestra demostrada valía académica». La educación es algo mucho más profundo y transformador que todo eso: tiene que ver con saborear los desafíos y aprovechar las oportunidades considerando los errores como una oportunidad para aprender y crecer.

Este tiene que ser uno de los objetivos de la Escuela del siglo XXI: centrarnos en las capacidades y talentos de cada niño y no reducirlo todo a simples notas académicas basadas en el aprendizaje de una serie de contenidos. En palabras de Ken Robinson:

> La educación está reprimiendo los talentos y habilidades de muchos estudiantes; y está matando su motivación por aprender.

En el nuevo modelo educativo tenemos que trabajar para permitir que cada niño realice un viaje interior y le permita descubrir lo que el propio Ken Robinson denomina su elemento, es decir descubrir aquello que te apasiona y te hace feliz. Porque ese es al final el objetivo último de la educación: formar personas felices. Y ahí también estamos fallando porque les decimos frases del tipo:

> ➤ ¿Para qué quieres estudiar música si no vas a vivir de ella?
> ➤ ¿Para qué quieres hacer teatro si con eso no vas a ninguna parte?
> ➤ Total, no vas a ser un gran pintor. No pierdas el tiempo.

No dejamos a nuestros hijos y alumnos que busquen en su interior aquello que les apasiona y se dediquen a ello con todo su empeño.

La escuela en colaboración con la familia debe permitir y favorecer esta búsqueda del elemento por parte de cada uno de los alumnos. Estamos dando por perdidos algunos alumnos mal etiquetados que estoy convencido de que esconden un potencial extraordinario en su interior y, por desgracia, no nos dedicamos a sacar a la superficie todo este potencial. Debemos encaminar el trabajo de la nueva educación en ese sentido.

Recientemente leí en Twitter una frase contundente de Ricard Huguet que resume muy bien lo que estoy comentando:

> *¿Qué hemos hecho para que nuestros hijos entren en el sistema educativo queriendo ser astronautas y salgan queriendo ser funcionarios?*

Es momento de trabajar unidos para establecer un nuevo modelo educativo donde cambie por completo el concepto de éxito y fracaso. Vivimos en un mundo globalizado, cambiante que va a demandar personas emprendedoras capaces de gestionar el éxito y, sobre todo, capaces de aprender de sus fracasos. Por suerte o por desgracia esto no va de aprobar exámenes y nuestros hijos son algo más que una nota.

Más allá del informe PISA

Cuando hablamos de educación escuchamos mucho la siguiente afirmación: vivimos un momento de urgencia educativa. Esto es una realidad a la luz de los resultados de numerosos países en los estudios internacionales (por ejemplo, PISA) y el creciente abandono escolar de nuestros jóvenes.

En nuestro país, los resultados obtenidos en los últimos años son decepcionantes. No hace falta pertenecer al mundo de la educación para saberlo. Basta con leer la prensa o escuchar las noticias de radio y televisión cada vez que se realiza el estudio y comprobamos que se produce un intenso debate. Pero, ¿hacemos algo para que realmente cambie la situación? Lamentablemente no. Seguimos dando vueltas a los mismos errores y se intentan introducir algunas recetas novedosas pero seguimos obteniendo los mismos resultados.

Este cambio educativo requiere que nos centremos en varias cuestiones fundamentales:

> ➤ Identificar las causas de la emergencia educativa en la que estamos inmersos. Este libro pretende apuntar en esa dirección.

> ➤ Analizar la influencia de la política y la economía en la educación. Debemos trazar políticas educativas realistas que partan de la experiencia y no de posiciones ideológicas dañinas y tóxicas.

> ➤ Valorar y reforzar la importancia del papel del profesor en el siglo XXI como guía del aprendizaje (*docente sherpa*).

Pero promover este cambio no es un camino fácil ya que nos encontraremos con numerosos obstáculos. A pesar de que sabemos qué dirección debemos tomar, observamos cómo los encargados de dirigir las políticas educativas y llevar a cabo las reformas introducen «pequeños cambios» en la periferia del sistema proponiendo medidas irrelevantes. Además, no cuentan con la voz y la experiencia de los que se tienen que encargar de llevar adelante estas reformas: el profesorado. Y es aquí cuando nos planteamos la siguiente cuestión: ¿están realmente interesados en cambiar la educación?

Juan Delval en su libro *La escuela posible* señala una serie de obstáculos que nos encontramos al pretender cambiar la educación. Son los siguientes:

- ➤ **Alumnos.** Se resisten a aprender cosas cuya utilidad no ven, porque no se consigue que muestren el gusto por el saber, por el aprendizaje, por el estudio y por el esfuerzo.

- ➤ **Profesores.** Se resisten a cambiar su forma de enseñar, hacen lo que se les ha enseñado a ellos, y sólo estarían dispuestos a cambiar si vieran una buena razón para hacerlo.

- ➤ **Padres.** Se enteran de las reformas educativas por los medios de comunicación, y no suelen llegar a formarse una idea muy clara de en qué consisten.

- ➤ **Autoridades educativas.** Son los elementos más reacios a una reforma de la educación, cuando son ellos los que deberían propiciarla.

- ➤ **Empresas y poderes económicos.** No se interesan mucho por una educación democrática.

Cuando hablamos de educación escuchamos mucho la siguiente afirmación: vivimos un momento de urgencia educativa. Afrontar este reto será una labor fundamental de la escuela que queremos para el siglo XXI donde los aprendizajes deben ser multidireccionales. Podemos empezar a configurarlo.

Hace pocos años,[13] un nutrido grupo de profesores universitarios de todo el mundo publicó una carta abierta dirigida a Andreas Schlei-

---

13. *Escuelas creativas*, Ken Robinson, Ed. Grijalbo.

cher en la que se pedían, entre otras cosas, que el PISA se planteara ofrecer una alternativa a las tablas de clasificación. Esta es la carta:

> Los gobiernos, los ministros de Educación y los consejos de redacción de los periódicos esperan con impaciencia los resultados de los exámenes PISA, y las tablas se citan con propiedad en incontables informes sobre política educativa. Han empezado a ejercer una profunda influencia en las prácticas educativas de muchos países. Como consecuencia del PISA, los países están modificando sus sistemas educativos con la esperanza de quedar mejor clasificados. No subir puestos en sus tablas ha dado pie a declaraciones de crisis y al «shock del PISA» en muchos países, seguidos de llamamientos a la resignación y reformas radicales según los preceptos de PISA.

✓ **Actividad.** Te recomiendo que lleves a cabo las siguientes acciones:

- **No desprecies las nuevas ideas.** Aprovéchalas y ponlas en práctica tanto en tu vida personal como profesional.

- **Anima a las personas que te rodean a intentar cosas nuevas** y promoved este proceso de cambio.

- Nunca dejes de explorar, de cuestionarte cosas, de hacerte preguntas… En definitiva, **nunca dejes de aprender.**

- **Entra en contacto con personas interesadas en el cambio** y comparte con ellas tus ideas, tus inquietudes, proyectos…

Pero, ¿para qué sirve la escuela?

Hace un tiempo leí un interesantísimo artículo de Miguel Ángel Santos Guerra en su fantástico blog *El Adarve*. Un artículo que hizo que me planteara la siguiente cuestión: **¿Para qué sirve la escuela?** Una cuestión que, por cierto, todos los que trabajamos en la escuela (también los padres) deberíamos plantearnos en algún momento. Es urgente que reflexionemos y nos cuestionemos sobre el sentido de nuestra tarea. La escuela no se puede convertir en un lugar donde hacemos las cosas de manera mecánica y rutinaria: «como se hizo el curso anterior».

Comparto contigo el texto del artículo de Santos Guerra que tanto me impactó:

> Una maestra le pide a los niños que escriban en un hoja cuál es su juguete preferido. Los niños lo hacen diligentemente. Cuando han terminado, la maestra añade una segunda demanda:
>
> «Ahora vais a escribir debajo del dibujo de vuestro juguete preferido el nombre del niño o de la niña con quien os gustaría compartirlo».
>
> Todos van realizando la tarea. Escriben el nombre de un amigo, un hermano, una prima, un compañero de clase… Todos, menos una niña que le susurra a su compañera de pupitre:
>
> «Yo no quiero escribir ningún nombre. Yo no quiero compartir el juguete con nadie».
>
> La amiguita, le dice, también al oído, aplicando las leyes de la lógica escolar:
>
> «Hazlo, tonta. ¿No ves que es solo para la maestra?».
>
> Observación práctica que se puede traducir así: pon el nombre para que no tengas problemas, pero no te preocupes, que esto que escribes no tiene nada que ver con la realidad, con la vida. Escribe el nombre de quien quieras, que da igual. No vas a tener que compartir el juguete si no quieres.

Como puedes observar, la anécdota nos ofrece un mensaje claro y contundente: lo separada y alejada que está la escuela de la vida. Y nos conduce a plantearnos una gran cuestión: ¿educamos para una vida real o trabajamos aislados, de espaldas al mundo?

Por tanto, es necesario que nos tomemos un tiempo para repensar la escuela haciéndonos preguntas e intentado contestarlas con absoluta sinceridad y autocrítica. Algunas de las preguntas que se me ocurren son:

> ¿Para qué sirve la escuela?

> ¿Es una escuela que ha evolucionado o sigue anclada en el pasado?

> ¿De qué forma podemos mejorar la escuela?

> ¿Qué deberíamos cambiar en la escuela para ayudar a los jóvenes a que encuentren su lugar en la sociedad del siglo XXI?

> ¿Qué escuela queremos?

> ¿Se educa para la vida o simplemente se imparten asignaturas?

Nunca debemos perder de vista que la educación que ofrecemos a nuestros hijos y alumnos es una educación para la vida. Estamos hartos de teorías pedagógicas y educativas que en el papel son preciosas pero luego no se ajustan a nuestra realidad en las aulas.

Te invito a que empieces a dar respuesta a cada una de las cuestiones que planteo y que propongas tú otras tantas. Entre todos podemos crear la escuela que queremos. Ya lo sabes, de *creer* a *crear* solo hay una letra de diferencia.

Deberes educativos de la sociedad: educamos todos

Si de verdad queremos cambiar la educación necesitamos de un verdadero compromiso educativo de la sociedad. Es necesario que todos y cada uno de nosotros trabajemos para poder conseguirlo remando en la misma dirección. Para ello es necesario que conozcamos cuáles son nuestros deberes educativos.

Como suelo destacar, todos tenemos que aportar soluciones: padres, madres, docentes, medios de comunicación. Únicamente pondremos en funcionamiento este motor de cambio educativo trabajando en equipo, tejiendo redes y estableciendo alianzas. Con la fuerza de la unión provocaremos un cambio positivo en la educación. No podemos quedarnos quietos y esperar de manera ingenua a que los gobiernos resuelvan el problema educativo. Hasta la fecha hemos dejado esta toma de decisiones en manos de los políticos y la situación, lejos de mejorar, no ha hecho más que empeorar. Como sabiamente reza el proverbio africano:

Para educar a un niño, hace falta la tribu entera.

Este es el listado de los deberes educativos que propongo:

A LAS FAMILIAS

➤ Que eduquen a sus hijos sin miedo, que se atrevan a ejercer de padres sin dimitir de sus funciones.

➤ Que establezcan límites y normas en las pautas de comportamiento y no caigan en el reiterado «miedo a que se traumaticen», que tanto daño está haciendo a los padres de hoy en día.

➤ Que lleven a cabo una auténtica pedagogía de los deberes asociando adecuadamente la noción de derecho junto con la de deber y obligación. No podemos hablar solamente de derechos y más derechos a nuestros hijos.

➤ Que trabajen de manera conjunta en colaboración con el profesorado para conseguir una educación en equipo.

A LOS POLÍTICOS

➤ Que dejen de usar la educación como arma electoral arrojadiza y se planteen de qué manera pueden colaborar para mejorarla.

➤ Que lleven a cabo políticas preocupadas en la mejora de la educación resaltando el valor del profesorado y la labor que realizan.

➤ Que se preocupen por invertir en educación, pues la financiación es necesaria para cubrir todas las necesidades educativas. Se debe incrementar la inversión que España destina a la educación, que está por debajo de la media de los países más avanzados de la Unión Europea. Que no recorten en educación.

➤ Evitar al máximo una continua reforma del sistema educativo que no soluciona los problemas existentes pues actuar de esta forma es poner un parche pero el problema sigue estando ahí. No puede ser que nuestro país en los últimos 40 años haya conocido tantas leyes educativas distintas. Así no vamos a ningún sitio. El problema fundamental es que los políticos tienen una visión «cortoplacista» del asunto, pero la educación es un trabajo lento donde los resultados se obtienen a muy largo plazo.

➤ Que se preocupen por alcanzar un verdadero pacto educativo que beneficie a todos.

➤ Que presionen a las cadenas de televisión para que respeten el horario de protección infantil, que es muy bonito en la teoría pero que en la práctica real es inexistente.

A LOS MEDIOS DE COMUNICACIÓN

➤ Que asuman su responsabilidad ante la sociedad.

➤ Que no sean simples contenedores de publicidad sino que eduquen de la mejor manera posible a través de su programación.

➤ Que cumplan con el horario de protección infantil y dejen de emitir programas basura en dichos horarios o, por lo menos, que procuren no maleducar.

➤ Que establezcan herramientas que sirvan de ayuda a la educación.

➤ Que se preocupen por transmitir la importancia de velar por la educación de los niños y niñas a los futuros profesionales de la comunicación en su etapa de formación.

➤ Que elaboren una programación auténticamente educativa con la intención de formar y educar en valores (buenos valores).

➤ Que se preocupen por la educación de manera permanente y no solo cuando aparezca algún conflicto puntual en un centro educativo (*bullying*, agresiones) transmitiendo un mensaje pesimista y desvirtuado de lo que es nuestra juventud. Es lamentable que una escuela que lleva adelante proyectos interesantes no sea noticia pero una escuela donde surge algún tipo de comportamiento negativo y que se sale de lo normal sí que sea noticia y además con un gran eco social.

A LA ADMINISTRACIÓN EDUCATIVA

➤ Que trabajen para conseguir los mecanismos necesarios para abordar los conflictos en los centros educativos.

➤ Que los programas elaborados para tal fin sean realistas y no meros proyectos de despacho alejados de la trinchera educativa.

➤ Que se trabaje por mejorar la educación evitando la excesiva burocracia que se padece en los centros y que obliga a perder un tiempo valioso en papeleos innecesarios.

AL PROFESORADO

➤ Que tomen conciencia de grupo y aprendan a trabajar como tal.

➤ Que se evite al máximo la excesiva politización de los sindicatos pues todos tendrían que remar en la misma dirección. Es vergonzoso que haya demandas judiciales interpuestas entre los propios sindicatos que, en teoría, defienden los intereses comunes del profesorado. A esta lamentable situación no se debería llegar jamás.

➤ Que se trabaje de manera prioritaria con los alumnos una pedagogía de los deberes asociando debidamente derechos y deberes.

➤ Que colaboren estrechamente con las familias para poder educar en equipo.

➤ Que nunca dejen de formarse e informarse.

Los 10 problemas que más me preocupan de la educación actual

¿Cuáles son los problemas que más te preocupan de nuestra educación actual? Me gustaría compartir contigo los 10 que más me preocupan a mí (aunque a este listado podríamos añadir algunos más):

1. El elevado índice de fracaso y abandono escolar, así como el nivel de paro juvenil. Tremendo.

2. Los resultados de nuestro país en las pruebas internacionales, que evidencian la necesidad de un cambio, una transformación profunda de nuestro sistema educativo.

3. Las continuas reformas educativas por parte de los políticos de turno. Como bien afirma Richard Gerver:

Los gobiernos no tienen el valor necesario para comprender que el futuro no es una serie de continuas reformas, pequeños ajustes y nuevas políticas. Se trata de emprender una transformación radical.

4. Nuestro sistema condena el error y no lo aprovecha como una oportunidad de aprender y crecer.

5. La desconfianza de la administración hacia los profesionales de la educación. Como destaca Ken Robinson:

   La educación no sucede en las salas de comités de nuestros edificios legislativos sino en salones de clases y escuelas, y las personas involucradas son los maestros y alumnos, y si se quita su criterio, deja de funcionar. Hay que devolvérselo a la comunidad educativa.

6. El sistema no se adapta a la diversidad sino a la conformidad, no se individualiza la enseñanza y el aprendizaje de nuestros alumnos.

7. Existe un recelo y una desconfianza mutua entre familias y profesorado. Necesitamos formar un auténtico EQUIPO educativo de calidad. No podemos perder el tiempo en competir, necesitamos compartir.

8. Una excesiva politización de la educación a todos los niveles (sindicatos de profesores, AMPAS, etc.). Como afirma R. Gerver:

   Tenemos que limitar el control que tienen los políticos para que los educadores puedan educar y los niños puedan aprender de una forma centrada exclusivamente en los jóvenes y en el desarrollo de su potencial.

   Que nuestros políticos empiecen a preocuparse más por las generaciones futuras y menos por las próximas elecciones.

9. La educación actual no fomenta la creatividad y la curiosidad sino que más bien la reprime y anula.

10. Seguimos sin emprender una auténtica transformación de la educación, esperando a que «alguien lo haga por nosotros». No podemos olvidar que TODOS podemos aportar nuestro granito de arena a este CAMBIO EDUCATIVO.

Podemos mejorar la educación: mis 10 propuestas para hacerlo

Hace unos años, Javier Urra me pidió una pequeña colaboración para su magnífico libro *Educar con sentido común,* en el que participaron muchísimos profesores tanto de infantil y primaria como de secundaria de nuestro país. Se trataba de hacer unas breves notas contestando a la pregunta: «*¿Qué es necesario para educar correctamente?*». En lugar de escribirle una serie de ideas sueltas pensé que podía ser interesante elaborar un pequeño «Decálogo para educar correctamente». Así nacieron estas 10 propuestas para mejorar la educación.

No me gustaría que se tomasen como un conjunto de diez principios o normas, sino como una serie de ideas o apuntes que ojalá puedan ayudar a reflexionar sobre cómo mejorar la educación. Como en todo, lo más importante es que no quede en una exposición de ideas muy bonitas plasmadas en papel sino que nos comprometamos a llevarlas a la práctica. La situación actual nos obliga urgentemente a pasar a la acción. Estas son algunas de mis humildes ideas para intentar mejorar la educación:

1. Muchos problemas de la educación actual surgen, entre otras cosas, porque no todos tenemos el mismo concepto de qué es educar. Pongo varios ejemplos clarificadores: el padre que se atrevió a cometer la imprudencia de salir junto con su hijo (menor de edad, por cierto) en los Sanfermines delante de los toros creía que estaba haciendo lo mejor para la educación de su hijo en ese momento. De la misma forma que el padre que cada fin de semana lleva a

su hijo a realizar actividades al aire libre en plena naturaleza cree exactamente lo mismo. Vemos pues, en estos dos breves ejemplos, que hay maneras dispares de dirigir la educación. Pero, ¿qué es mejor y qué es peor? Esto es difícil de afirmar pero considero que lo primordial es que, por lo menos, lleguemos a un acuerdo en los valores básicos que debemos transmitir dejando a un lado la afirmación más extendida en el mundo educativo actual y que nos está encerrando en un callejón sin salida: «Todo vale». Todo no vale.

2. Lo que he destacado en el primer punto es fundamental ya que vivimos, convivimos y educamos en sociedad. Esto quiere decir que la forma de educar de mis vecinos, de mis familiares, es decir, del entorno va a afectar de una manera u otra a la forma en que yo educo a mis hijos. Podemos llegar a establecer una serie de acuerdos básicos a la hora de educar. Es la sociedad entera la que educa y, por tanto, somos todos los que tenemos que colaborar para que la educación cambie a mejor. Si logramos esto, veremos que nos será mucho más sencillo educar y no tendremos esa sensación de que nadamos a contracorriente sino con el viento a favor.

3. Necesitamos urgentemente una alianza entre las familias y la escuela, eliminando los recelos existentes entre ambas instituciones, acercando posturas y trabajando codo con codo para mejorar el clima educativo existente en la actualidad. Hemos de evitar que las relaciones entre padres y docentes sean tensas y pasen a ser alegres basándose en la confianza mutua ya que todos buscamos lo mismo: lo mejor para nuestros hijos y alumnos. Hemos de ser conscientes de que ambos jugamos en el mismo equipo y no podemos meternos goles en nuestra propia portería. Si los padres y el profesorado nos unimos en esta ilusionante misión, nuestra acción educativa será muchísimo más eficaz.

4. Para mejorar la educación es necesario que tanto las familias como la escuela levantemos la voz y les digamos a los medios de comunicación ¡basta ya! Les expliquemos que queremos que se preocupen por transmitir valores tales como el esfuerzo, la voluntad, la entrega, el compañerismo, etc. Unos valores que nos ayuden a mejorar como personas y que se dejen de una vez de bombardearnos con la emisión continua de contravalores tales como el consumismo, la violencia, la inmediatez, el *zapping* emocional. Esto también facilitaría nuestra acción educadora puesto que educaríamos de una manera conjunta sin chocar de frente, que es lo que está ocurriendo en la actualidad. Estamos bombardeando constantemente a nuestros hijos y alumnos con mensajes contradictorios que los desorienta y desborda.

5. Hemos de cambiar la perspectiva que tenemos sobre la educación y el sistema educativo: la escuela y también los institutos son lugares donde nuestros hijos van a desarrollarse y a formarse como personas, lugares donde deben encontrar la felicidad. Eliminemos el tan extendido mensaje de *bullying*, acoso, fracaso escolar, violencia en las aulas, etc. Actuemos para poner remedio a estos gravísimos problemas pero no nos dejemos influir por lo que nos quieren vender algunos medios de comunicación. La escuela no es solo eso: hay problemas que requieren una solución urgente. Eliminemos el tan extendido pesimismo educativo y afrontemos nuestra tarea educativa con optimismo y entusiasmo.

6. Hemos de atender y dedicar más tiempo a nuestros hijos. Según el reciente estudio «Encuesta Infancia 2008», elaborado por la editorial SM, más de 350.000 chicos de entre 6 y 14 años pasan todas las tardes de los días laborables solos y más de 920.000 sienten soledad en su hogar. Dramático. Debemos, pues, presionar a las instituciones para que se produzcan mejoras reales que favorezcan la conci-

liación laboral y familiar. Sólo así podremos pasar más tiempo con nuestros hijos. Además, este tiempo es necesario que sea de calidad puesto que es mucho más importante que la cantidad.

7. Es necesaria una cultura educativa. Es necesario que la educación esté presente en la vida diaria y se valore como el elemento imprescindible de mejora social. Es importantísimo que desde los estamentos políticos se apoyen iniciativas que tengan un claro propósito educativo y favorezcan que los jóvenes puedan participar en actividades sociales tales como ONG´s, asociaciones deportivas, etc. Debemos obligar a nuestros políticos a que se ocupen y preocupen de la educación, que no la usen como arma electoral arrojadiza en sus cortoplacistas programas electorales. La educación requiere inversión, tiempo y mucha paciencia.

8. Es necesario que la sociedad apoye y valore la labor docente. Es importantísimo que se reconozca el trabajo diario que están realizando los miles de docentes que trabajan en las aulas de nuestro país. Hay que aplaudir iniciativas como la de la FAD (Fundación de Ayuda contra la Drogadicción), que todos los años realiza un «Homenaje al Maestro» junto con un Premio a la Acción Magistral, valorando la función social del maestro y transmitiéndolo así al resto de la sociedad.

9. Es preciso también apoyar e impulsar las Escuelas de Madres y Padres como un lugar de reflexión y formación de los padres, así como un punto de encuentro entre las familias y la escuela. Hemos de evitar que las Escuelas de Padres se conviertan en una serie de charlas repetitivas sin un objetivo definido donde siempre se habla de lo mismo y al final los padres se cansan y dejan de participar. Hemos de comprometernos para cambiar urgentemente el rumbo, la dinámica y el verdadero sentido de las Escuelas de Madres y Padres.

10. Es urgente que todos nos pongamos a trabajar ya mismo para que mejorar la educación sea la tendencia natural en nuestra forma de vida. Todos podemos aportar nuestro pequeño granito de arena en esta gran tarea. Necesitamos plantearnos una serie de cambios que nos ayudarán a mejorar la educación y conseguiremos una Escuela del siglo XXI.

Para poder promover estos cambios necesitamos aportar los siguientes ingredientes:

PASIÓN • ENTUSIASMO • ENTREGA
GENEROSIDAD • CONFIANZA
OPTIMISMO

Espero que estas diez propuestas te hayan parecido interesantes. Ahora nos toca a todos **ponerlas en práctica** y hacerlas REALIDAD que es lo importante…

#Leído en internet

La educación según Ken Robinson

1. **La** creatividad debe ser tan importante en la educación como la alfabetización. En las escuelas se desprecia la creatividad y solo se premia la habilidad en matemáticas, lengua o historia, cuando deberían estar al mismo nivel. Los niños tienen una capacidad para innovar y unos talentos extraordinarios que están desperdiciados.

2. **Estigmatizar** el error mata la creatividad. Para crear, para innovar, no hay que temer equivocarse porque, si los niños tienen miedo a equivocarse, dejarán de probar y de experimentar. Sin embargo, el sistema de educación actual establece que los errores son negativos y va aniquilando la creatividad inherente al ser humano.

3. En las escuelas se educa solo el cerebro y, especialmente, el hemisferio derecho. Todos los sistemas educativos tienen una jerarquía que sitúa en lo más alto las matemáticas y los idiomas, seguidos de las humanidades y, en el nivel más bajo, las artes. Y, dentro de las artes, incluso se da más importancia a la plástica y la música que al teatro o el baile. No se educa el uso de nuestro propio cuerpo, ni la capacidad de crear e imaginar, porque el sistema educativo se diseñó con la revolución industrial, para enseñar a trabajar, y da más importancia a los temas o aspectos útiles para el trabajo.

4. El sistema de valoración escolar no es justo. En contra de lo que muchos piensan, la habilidad académica no es sinónimo de inteligencia. Nos hemos acostumbrado a creer que un niño al que no le va bien en el colegio no es inteligente, cuando en realidad puede tener mucho talento y ser brillante y creativo. El problema es que en las escuelas no se valora la inteligencia, sino la capacidad de destacar en ciertas asignaturas o materias.

5. El sistema educativo actual aleja a muchas personas de sus habilidades naturales. Los talentos de una persona no siempre están a la vista, a veces se esconden bajo la superficie y hay que buscarlos, descubrirlos. La educación debería ser el entorno donde se creen las circunstancias adecuadas para que esos talentos emerjan, pero no es así.

6. La educación no debe sufrir una evolución, sino una revolución. Para solucionar los problemas de los sistemas actuales, no bastan los cambios superficiales: la educación tiene que transformarse en algo diferente a lo que es ahora. Para ello, debemos desprendernos de las ideas preconcebidas, como el hecho de que todo el mundo deba ir a la Universidad, lo que deriva en una concepción lineal de la educación que no es adecuada. Lo importante no es superar cursos sino desarrollar al máximo las capacidades de la persona.

7. Hay que cambiar el concepto de inteligencia. Las comunidades humanas dependen de un amplio abanico de habilidades y no pueden apoyarse sobre una única definición de talento. Ese es uno de los mayores retos en el ámbito educativo: cambiar esa definición, cambiar el concepto de inteligencia. La inteligencia es diversa, dinámica e interactiva y, sobre todo, única. El objetivo, por lo tanto, es que la persona encuentre su talento y tenga una dedicación extraordinaria para desarrollarlo.

8. La educación debe personalizarse y volverse orgánica. El sistema educativo actual sigue un modelo industrial, estandarizado y conformista. Educamos a los niños con las premisas de la comida basura, sin importarnos las características de cada uno, cuando en realidad los talentos y las capacidades son tan diversos como los alumnos. Debemos optar por un modelo agrícola, orgánico: como el granjero, la labor de la educación debe centrarse en crear las condiciones más adecuadas para que el niño crezca y desarrolle sus talentos.

9. Debemos replantearnos los principios fundamentales en los que educamos a nuestros hijos. Igual que explotamos la Tierra para extraer los recursos que nos interesan, el sistema educativo explota nuestro cerebro para que ejecute unas tareas y desarrolle unas habilidades concretas. La educación del futuro no puede seguir estas premisas, sino que debe valorar a los niños por todo lo que son, también por su imaginación y la riqueza que supone su capacidad creativa.

10. Para educar hay que alentar la pasión y conmover el espíritu. Hay que crear un movimiento en educación en el cual la gente desarrolle sus propias soluciones con el apoyo de un currículo personalizado. Pero debe hacerse apelando a la pasión, porque cuando hacemos lo que nos apasiona, sea lo que sea, somos felices y nos sentimos plenos.

#4 citas en las que inspirarte

1. *La escuela no tiene que enseñar al niño cómo ser mandado sino cómo buscarse oportunidades.*
   Richard Gerver

2. *Enseñar a pensar a los niños los hace mejores estudiantes y personas.*
   Robert J. Swartz

3. *Mi generación fue educada para creer en certezas. Tenemos que preparar a nuestros niños para lidiar con cambios, un futuro incierto, en vez de en certezas.*
   Richard Gerver

4. *No es acerca de estandarizar la educación, es acerca de subir el estándar de la educación.*
   Ken Robinson

El viaje continúa...

Espero que una vez leído el libro hayas podido encontrar respuesta a muchas de tus dudas respecto a la educación de tus hijos, y puedas empezar a considerarte un padre con talento con hijos adolescentes. Como puedes comprobar, no solo has aprendido sobre ti mismo sino también sobre tu pareja, tu hijo, etc. Esto te ayudará a afrontar la educación de tus hijos en las mejores condiciones. Te animo a que compartas esta información con tus amigos y conocidos para que pueda llegar a más y más padres que, como tú hasta ahora, andan desorientados y perdidos.

Confío en que en este aprendizaje hayas ganado en confianza eliminando esos miedos e inseguridades que te asaltaban con frecuencia. Quiero que vivas y disfrutes al máximo este proceso de crianza de tus hijos. No se trata de sobrevivir a la educación y al crecimiento de tus hijos sino de saborearlos.

Como puedes comprobar, muchas de las ideas que he expuesto no son nuevas, no son mías sino que las he aprendido de personas que han investigado mucho más que yo. He intentado ofrecerte una gran cantidad de ideas y herramientas que te ayudarán en tu día a día educativo. Muchas de estas ideas y experiencias me las han transmitido mi mujer, por lo que puedo decir que la mitad (o más) del libro también es obra suya.

Puedes volver a estas páginas en el momento que quieras y seguir aprendiendo sobre aquellos temas en concreto en los que sigues encontrando dificultades. Como ya has aprendido, en caso de duda confía en ti mismo y en que haces lo mejor para tu hijo.

Un último consejo: nada de lo aprendido aquí te servirá si no lo pones en práctica. Como señala Jack Canfield, "tampoco sirve leer un libro sobre una dieta para perder peso si no se reduce el consumo de calorías y se hace más ejercicio", por tanto, ahora viene la parte más importante: aplica las pautas y estrategias aprendidas en el libro y adáptalas a tu caso concreto, a tus circunstancias personales, etc.

Me despido con un deseo: ¡disfruta al máximo de este apasionante viaje!

Bibliografía

Álava Reyes, M. J. (2002), *El NO también ayuda a crecer*, Madrid: La Esfera de los Libros.

Álava Sordo, S. (2015), *Queremos que crezcan felices*, Boadilla: J de J Editores.

Alberca, F. (2011), *Guía para ser buenos padres de hijos adolescentes*, Córdoba: Toromítico.

Ballenato, G. (2007), *Educar sin gritar*, Madrid: La Esfera de los Libros.

Ben-Shahar, T. (2012), *Elige la vida que quieres*, Barcelona: Alienta.

Calatayud, E. (2014), *Buenas, soy Emilio Calatayud y voy a hablarles de...*, Barcelona: Alienta.

Castells, P. (2011), *Tenemos que educar*, Barcelona: Atalaya.

Cervantes, P. y Tauste, O. (2012), *Tranki pap@s*, Barcelona: Oniro.

Cervantes, S. (2013), *Vivir con un adolescente*, Barcelona: Oniro.

Cervera, L. (2014), *Lo que hacen tus hijos en internet*, Barcelona: Integral.

Chica, L. (2013), *¿Quién eres tú?*, Barcelona: Alienta.

Cury, A. (2007), *Padres brillantes, maestros fascinantes*, Barcelona: Zenith.

Einon, D. (2000), *Comprender a su hijo. Desde el primer llanto a la adolescencia*, Barcelona: Medici.

Giménez, M. (2007), *Los niños vienen sin manual de instrucciones*, Barcelona: Punto de Lectura.

González, C. (2013), *Creciendo juntos*, Madrid: Temas de Hoy.

González, O. (2015), *365 propuestas para educar*, Barcelona: Amat.

González, O. (2014), *Familia y Escuela. Escuela y Familia*, Bilbao: Desclée.

González, O. (2014), *El cambio educativo,* CreateSpace.

Guembe, P. y Goñi, C. (2014), *Aprender de los hijos*, Barcelona: Plataforma.

Guembe, P. y Goñi, C. (2013), *Educar sin castigar*, Bilbao: Desclée.

Guembe, P. y Goñi, C. (2014), *Una familia feliz: guía práctica para padres*, Córdoba: Ediciones Toromítico.

Luri, G. (2014), *Bien educados*, Barcelona: Ariel.

Peralbo, A. (2013), *De niñas a malotas*, Madrid: La Esfera de los Libros.

Ramos-Paúl, R. y Torres L. (2007), *El manual de Supernanny*, Madrid: *El País*.

Robinson, K. (2015), *Escuelas creativas*, Barcelona: Grijalbo.

Salmurri, F. (2015), *Razón y emoción*, Barcelona: RBA.

Suárez, R. y del Pueyo, B. (2013), *La buena adolescencia*, Barcelona: Grijalbo.

Templar, R. (2008), *Las reglas de los buenos padres*, Madrid: Pearson Educación.

Tierno, B. y Giménez, M. (2004), *La educación y la enseñanza infantil de 3 a 6 años*, Barcelona: Aguilar.

Tierno, B. (2011), *La educación inteligente*, Madrid: Temas de Hoy.

Urra, J. (2006), *El arte de educar*, Madrid: La Esfera de los Libros.

Urra, J. (2011), *Educar con sentido común*, Madrid: Aguilar,

Urra, J. (2004), *Escuela práctica para padres*, Madrid: La Esfera de los Libros.

Urra J. (2011), *Mi hijo y las nuevas tecnologías*, Madrid: Pirámide.

Urra, J. (2013), *Respuestas prácticas para padres agobiados*, Barcelona: Espasa.

Vallet, M. (2010), *Educar a nuestros adolescentes. Un esfuerzo que vale la pena*, Hospitalet de Llobregat: Wolters Kluwer Educación.

Recursos adicionales

Apreciado lector, muchas gracias por compartir tu valioso tiempo conmigo, ha sido un placer acompañarte durante tu lectura. Si quieres podemos seguir «conectados»:

Te invito a seguirme a través de mis redes sociales:

- **Twitter:** @OscarG_1978
- **Facebook:** facebook.com/oscar.g1978

Si estás interesado en ampliar el contenido del libro, visita la web de la colección ESCUELA DE PADRES:

www.coleccionescueladepadres.es

Si estás interesado en mis programas de formación para familias, escuelas de padres, talleres, seminarios, etc. visita la web **www.escueladepadrescontalento.es.** Son talleres prácticos (presenciales y *online*) diseñados para ayudar a las familias a educar con talento y con mucho sentido común. Puedes seguir estos programas a través de las redes sociales:

- **Twitter:** @EPTalento
- **Facebook:** facebook.com/EscuelaDePadresConTalento

Contacta conmigo en:
oscargonzalez@escueladepadrescontalento.es

Si quieres más recursos (webs y blogs recomendados con temáticas e información relacionada con el contenido del libro) visita el apartado *Recursos* de la web:

www.colecccionescueladepadres.es

Escuela de Padres con talento

La Escuela de Padres con talento es un proyecto pedagógico de Óscar González que pretende servir de **ayuda, orientación, aprendizaje y colaboración** a las madres y los padres durante el proceso educativo de sus hijos.

Todos los padres quieren educar bien a sus hijos pero muchos encuentran hoy grandes dificultades para lograr esa aspiración. Estamos convencidos de que **no existen recetas mágicas para educar a nuestros hijos,** no poseemos la «alquimia educativa» que nos resuelva todos los problemas pero sí que ofrecemos **pautas, herramientas y principios educativos** para que puedan llegar de un modo práctico al fondo de los problemas de cada hijo dando respuesta a sus inquietudes, dudas y temores.

Nuestra intención es la de prepararlos para que aprendan y encuentren su propio estilo y forma de educar a sus hijos. Queremos estar **junto a ellos** para orientarlos, ayudarlos, acompañarlos, escucharlos, asesorarlos y ofrecerles lo que buscan: **soluciones**.

Además de los mencionados, uno de nuestros objetivos prioritarios es «aprender todos de todos». Este proyecto es **una experiencia enriquecedora para todos los participantes** donde la visión y experiencia de otros padres nos ayudarán a completar y enriquecer la propia.

Es necesario un cambio en el concepto tradicional de Escuelas de Madres y Padres, un modelo obsoleto. Nuestro proyecto establece **un nuevo modelo de Escuela de Padres y Madres** práctico y dinámico que ofrece resultados reales. Una de las quejas frecuentes de los centros educativos es que los padres y las madres no participan en este tipo de iniciativas. Ofrecemos un proyecto avalado por una altísima participación e implicación por parte de las familias.

Para más información sobre la Escuela de Padres con Talento accede a la web **www.escueladepadrescontalento.es**

Contacta con nosotros en **info@escueladepadrescontalento.es**